Espiritualmente hablando...

¡Supéralo!

Usando ejercicios espirituales
que te empoderan en cualquier
situación en la que te encuentres

Espiritualmente hablando...
¡Supéralo!

Usando ejercicios espirituales que te empoderan en cualquier situación en la que te encuentres

Doreene Hamilton

Grupo Editorial Tomo, S.A. de C.V.,
Nicolás San Juan 1043,
03100 México, D. F.

1a. edición, agosto 2012.

Spiritually Speaking... Get Over It!

Publicado por Spiritual Arts Press
P.O. Box 291038, Los Angeles, CA 90027

Nicolás San Juan 1043, Col. Del Valle
03100 México, D.F.
Tels. 5575-6615, 5575-8701 y 5575-0186
Fax. 5575-6695
http://www.grupotomo.com.mx
ISBN-13: 978-607-415-408-5
Miembro de la Cámara Nacional
de la Industria Editorial No 2961

Traducción: Graciela Frisbie
Formación tipográfica: Dulce Mariko Lugo
Diseño de portada: Karla Silva
Supervisor de producción: Leonardo Figueroa

Este libro se publicó conforme al contrato establecido entre *Spiritual Arts Press, Yorswerth Assosiates, Llc.* y *Grupo Editorial Tomo, S.A. de C.V.*

Impreso en México - *Printed in Mexico*

Este libro está dedicado a la simplicidad
de la vida y a la complejidad del ego.

Sólo tengo una palabra para ti...

¡ENTRÉGATE!

AGRADECIMIENTOS

Ninguna gran obra puede hacerse por una sola persona. Siempre existe un ángel en medio que ayuda a llevar a cabo la divinidad, la claridad y la resolución de lo divino. Este libro no es diferente.

Quiero agradecer a muchos de los ángeles que me ayudaron a hacer posible la realización de este libro.

Mis ángeles del conocimiento: también conocidos como maestros espirituales. Su orientación y enseñanzas me ayudaron en mi crecimiento tanto espiritual como personal: a mis padres, Narcita y Clarence Hamilton, al Rev. Michael Beckwith, a mi hermano Ismael Tetteh, a mi hermana Esta Tetteh, a Max Beavoir, Gunter Benz, Dewell Bryant y a mis maestros y guías en el reino de lo invisible.

Mis contemporáneos angelicales: los que me han dado fuerza y apoyo en todo este proceso: mi hermana Narcita, mi tía favorita Ida/Louise Bishop, mis almas gemelas Alvita Ayers, Sheilaa Hite y Janelle Appling. Mi hermano espiritual el Obispo Richard Halladay, el Padre Jesús Pedroza y la amada Stacy Sams.

Mis ángeles del crecimiento: Aquellos que me han permitido crecer a través de sus vidas: Bill Olson, Keith

Hamilton, Susan Hamilton-Rysdyk, Jean Drummond, Meme Kelly, Ana Feliciano, Millie Santos, Debra Van Kellen, Debbie Reece, Dexter Miller, Alvin Jackson, Clayvon Harris, Linda Hamblin Denton, Lisa Jordan, Lonna Hooks, Vernita Perkins, Marlene Clark, Sandra Jones, Tana Mozingo, Valeri y Bart Ross, Ardell McCoy, Brian Smith, Gayle Route y Edward Tyson.

Mis ángeles en el camino: Que en su propia manera especial han tocado mi vida breve o profundamente. Estoy agradecida sinceramente con todos ustedes.

UNA CARTA A MIS LECTORES

Estimado amigo,

Escribí este libro como una forma de compartir algo del conocimiento y enseñanza que he acumulado durante mi vida. Soy un ministro de la metafísica, la cual se especializa en los principios de la verdad y del conocimiento. Sin embargo, como muchos de ustedes, siempre tengo una constante condición de desarrollo a través de las experiencias que me va presentando la vida.

En este punto de crecimiento personal fui llamada para escribir este libro, dedicado a aquellos que han estado buscando evolucionar espiritualmente, y que sostienen, equivocadamente, que para empoderarse, o encontrar una iluminación, se debe dejar de hacer todo lo que se está haciendo actualmente. Esto es innecesario. El crecimiento espiritual es un viaje de toda la vida. No interfiere con tu vida, la mejora. No importa cuándo comiences. No importa si paras y comienzas de nuevo. Siempre continuarás creciendo espiritualmente, sin importar si estás consciente de ello o no.

Existe algo mágico acerca de estar empoderado; una vez que te comprometes con ello, la transformación comienza. Ahora, no sé nada de ti, pero creo en la magia. La magia de Dios. La magia del amor. La magia de los milagros. La magia de los ángeles. La magia de la música. La magia de la naturaleza. La magia de creer. En ciertos puntos de la vida las respuestas nos llegan como magia. Este libro te ayudará a ponerte en contacto con el mago que llevas dentro de ti y que está en pleno empoderamiento. Este libro permitirá traer resultados a tu vida... como magia. Existe un solo requisito. Debes quererlo.

Sin tu acción nada ocurrirá. Puedo querer algo por ti, pero a menos que tú lo quieras por ti mismo no se manifestará. Tu corazón y tu alma deben estar ahí. Aparta quince minutos diarios para enfocar esa intensa energía y concéntrala para tener o liberar lo que quieras de tu vida. Tienes el poder de manifestar las dos cosas.

Mira tu vida. Existen cosas que creaste o destruiste en sólo unos minutos. El propósito de este libro es llegar a ti y mantenerte concentrado en las cosas positivas que deseas en tu vida. Haz la prueba. Es increíble lo fácil que es.

Este libro está diseñado para dirigirse a los asuntos cotidianos a los que te enfrentas con los espíritus en forma humana, también conocidos como seres humanos. Llega un momento en la vida de todos en el que te encuentras necesitando una respuesta, o una técnica, que te ayude a sacudirte la negatividad que por lo general se añadió a tu hermosa alma. También hay momentos en los que estás haciendo algo tan bien que te asustas y sólo necesitas la confirmación de que alguien no va a acercarse a ti por detrás a jalarte la alfombra roja que está debajo de los pies.

Las técnicas en este libro son fáciles de seguir. Están escritas en una serie de ejercicios de quince minutos y de una manera que se espera alivien cualquier tensión en tu vida. Al comienzo de cada ejercicio incluí una lista de las herramientas que necesitarás para realizarlos, así como también el tiempo requerido y los resultados esperados.

Al final de cada ejercicio hay una lista de referencias rápidas de los pasos necesarios para completarlos. Esto se hace para asegurar que sepas el orden en el que se manifiestan los resultados que tú deseas.

Este libro no es para que lo leas de forma convencional, siéntete con la libertad de pasar de un lugar a otro. Léelo de atrás para adelante si así lo deseas. Algunos ejercicios afirmarán lo que ya estás haciendo. Otros abrirán tu mente a diferentes enfoques.

Donde quiera que estés ahora, debes estar dispuesto a invertir quince minutos para tu propio crecimiento personal, para el cambio y para el empoderamiento. Comprométete a estar empoderado y embárcate en un viaje espiritual mágico.

Namaste,

Doreene

¡SUPÉRALO!

Muchas personas piensan que superar una situación significa olvidarse de ella, como las sobras en el refrigerador. Esto no es cierto.

Si una situación, una persona o un acontecimiento te ha afectado de una manera negativa hasta el punto en el que no estés funcionando como un ser *maravilloso* y normal, olvidarlo no es suficiente.

Si te olvidaste de las sobras en el refrigerador, después de un tiempo éstas se secarán, se les formará moho e incluso olerán mal, pero se mantendrán en la parte posterior del refrigerador hasta que las deseches apropiadamente.

Es lo mismo con las malas experiencias. Olvidarse de ellas no significa que vayan a desaparecer. Tienes que deshacerte de ellas conscientemente, o seguirán agotando la alegría en tu vida. Tu cuerpo interior se infectará y se enmohecerá por la pena y el dolor a los que te estás aferrando.

¡Y finalmente apestarás! Y nadie va a querer estar cerca de ti.

¡SUPÉRALO!

Supéralo trabajando en ello.

Supéralo empoderándote y convirtiéndote en la mejor persona que puedas ser.

Supéralo y

SIGUE ADELANTE CON TU VIDA.

PARTE UNO

PERSPECTIVA GENERAL

CÓMO USAR ESTE LIBRO

Si no sabes hacia dónde vas,
probablemente nunca llegarás ahí.

El camino al empoderamiento siempre se está construyendo. A medida que cambias, tu camino cambia. A medida que creces, tu crecimiento provoca cambios en tu camino.

Siempre recuerda, no hay nada en tu vida por encima de lo cual no te puedas elevar o de lo que no puedas liberar tu vibración. No hay una mala situación que dure para siempre. El único que tiene el control completo sobre tus pensamientos eres tú. Tú decides cómo te afectan las situaciones en tu vida. Cuanto más fuerte seas espiritualmente, menor será el efecto que esas situaciones negativas van a tener en tu vida. La manera de hacerlo es por medio de empoderarte.

Antes de que puedas lograrlo, debes entender lo que es el empoderamiento.

Yo

La persona en sí o el individuo.

Empoderar

Dar autoridad o poder a algo.

Autoempoderamiento

Tus esfuerzos proactivos para reconocer y utilizar el poder dentro de ti y lograr una vida que esté llena con los deseos de tu corazón.

No hay nada en este Universo que puedas desear y que no puedas alcanzar al pedirlo, porque todas tus necesidades ya están cubiertas. En la conciencia del empoderamiento, entiendes que todo lo que les haces a otros y a ti mismo y todo lo que experimentas en tu vida se basa en el amor o el miedo.

Cuanto más te entiendas y entiendas el poder dentro de ti, más puedes funcionar en una base de "momento a momento", desde la base del amor y la fuerza.

ESTO ES ESTAR EMPODERADO

LOS PASOS DEL EMPODERAMIENTO

Para empoderarte tienes que estar dispuesto a mirarte de adentro hacia fuera. Tienes que estar dispuesto a examinar aquello de lo que realmente estás hecho. Tienes que estar dispuesto a desechar lo viejo y a aceptar lo nuevo. La conciencia es una parte muy importante del empoderamiento. Una vez que eres consciente de tus cimientos y de las cosas y las personas que te han ayudado a ser lo que eres el día de hoy, puedes decidir si necesitas mejorar.

A continuación se presentan seis áreas que debes examinar en tu viaje hacia el empoderamiento. Todas ellas tal vez no se apliquen a ti, pero úsalas como un punto de verificación para evaluar dónde te encuentras en tu camino y para ayudarte a sobresalir.

Adquiere una verdad

Una verdad es una declaración o declaraciones de aquello en lo que crees. Una verdad te da las herramientas para vivir la vida.

Libera los obstáculos con tus bendiciones

Debes estar dispuesto a liberar a las personas y a las situaciones en tu vida que te impiden caminar con tu verdad en una base diaria. En la liberación de las personas, lugares y situaciones de tu pasado y tu presente, dejarás espacio para lo que idealmente quieres que llegue a tu vida.

Limpia tu campo de energía

El templo de tu cuerpo y tu entorno necesitan una limpieza y un rejuvenecimiento de forma regular. Hónrate mediante la limpieza de ambos. En este proceso, remueves la energía estancada y provocas tu vibración superior.

Sana el templo de tu cuerpo

Todo *cuerpo* necesita sanación. Cuando estás abierto a la energía de la sanación, puedes sanar tu situación pasada y presente. Una vez sanada, ninguna de las dos puede limitarte o controlarte.

Manifiesta tu bondad

Debes estar dispuesto a tener la vida de la cual eres digno y a tener las cosas que deseas, porque te las mereces.

Permanece empoderado

Debes estar dispuesto a ser lo mejor que puedes ser. Esto significa comprometerse con el aprendizaje continuo. Tu vida empoderada es un ciclo ascendente de crecimiento y de revelaciones positivas. Cuanto más aprendas, más increíble, fácil y equilibrada tu vida será.

PARTE DOS

ADQUIERE UNA VERDAD

DEFINE AQUELLO EN LO QUE CREES

Si no defiendes nada,
¡caerás por cualquier cosa!

Un sistema de creencias te da una verdad de acuerdo a la cual vivir. Para estar empoderado, debes apoyarte en la verdad. Tu verdad te da la libertad para crecer. En la verdad reconoces que eres ilimitado en todos los ámbitos de tu vida. En la verdad sabes que no estás solo en cualquiera de tus esfuerzos.

Un sistema de creencias te da algo en lo cual apoyarte al caer. Es tu cimiento para hacer frente a las oportunidades y desafíos que se te presentan en la vida. No importa si eres protestante, judío, budista, católico, musulmán, mormón, wicca, testigo de Jehová, seguidor de la ciencia de la mente, o un miembro de cualquiera de muchos otros sistemas de creencias. Lo que es importante es saber que no estás atorado en un sistema de creencias o en una verdad. Si lo que estás practicando no está funcionando para ti, deshazte de ello. Si te hace sentir culpable, deprimido, o avergonzado en cualquier forma, déjalo ir y adquiere algo que te haga sentir bien contigo mismo.

Yo creo en Dios. Cuando era niña, me crié en la fe presbiteriana, la cual en mi barrio, en la parte baja del Este de Nueva York, no era una iglesia o un sistema de creencias estrictos. El Reverendo Williams decía: "Dios te ama, nos vemos la próxima semana". Yo sabía que mi creencia en Dios significaba que yo estaba protegida del supuesto mal. Ésa era mi verdad. Mi madre era protestante y mi padre se había convertido al judaísmo. Mis padres eran gente muy espiritual. Y también fueron muy intuitivos. Sin saberlo yo fui criada en un ambiente muy metafísico, lo cual ahora aprecio más que nunca. Mi padre limpiaba la energía en nuestra casa con regularidad, él usaba incienso y agua santa del Caribe conocida como agua de la Florida. Cuando recuerdo las cosas que mi hermana y yo estudiábamos y en las que participábamos cuando éramos unas niñas, como la conciencia de la mente, la numerología, el tarot y la astrología, me doy cuenta de que mis padres nunca le cerraron la puerta a los poderes dentro de nosotras. Como adultos hacemos esto todo el tiempo. Dudamos de Dios y de la capacidad de Dios para producir cualquier cosa en nuestras vidas. ¡Mala jugada!

Ya sea que hayas sido criado en una religión que te gustara o no, eso te proporcionó algunas herramientas y las herramientas son verdades. Si como adulto cambiaste a otro sistema de creencias, ahora tienes más verdades con las cuales trabajar. Incluso si no te criaron en ninguna religión en particular, hay verdades que se inculcan en cada uno de ustedes como una guía para vivir la vida.

Haz a los demás lo que te gustaría que te hicieran. Sonríe y el mundo entero sonreirá contigo; llora y llorarás solo. Es mejor permanecer en silencio y que se piense que eres un tonto, que abrir la boca y eliminar todas las dudas. Éstas pueden no ser las verdades de acuerdo a las que vives tu vida, pero todos las hemos escuchado. Es algo en qué basarse. Ningún sistema de religión o de creencias ha sido creado para dañar o asustar a sus seguidores. La gente común en diferentes momentos de la historia de nuestro planeta se cree "la elegida" y que recibe los mensajes de Dios. Estos mensajes eran para ayudarte a comprender mejor a Dios y a ti mismo, para construir una relación más fuerte entre los dos.

Estos mensajes también se convirtieron en enseñanzas y estas enseñanzas se convirtieron en verdades. Estas verdades forman las diversas religiones y sistemas de creencias. Desafortunadamente, a lo largo de los siglos, alguien que está de pie detrás de un púlpito infundió el miedo, la culpa y la ira de Dios. Demasiadas religiones han puesto separaciones y condiciones entre Dios y nosotros, que han provocado ira, confusión y dolor. Mucha gente se ha separado de Dios, o ha perdido por completo la percepción de un Dios como resultado de estas religiones.

Poco después de cumplir veinte años, investigué muchas religiones, principalmente debido a una curiosidad infantil. Siempre quise saber por qué los católicos tenían todos esos santos, por ejemplo la Virgen María, Marta y Rafael a quien recurrir en los momentos difíciles y por qué los protestantes sólo tenían a Jesús. Para mi gran sorpresa, me encontré con que todos los personajes de la Biblia estaban disponibles para su consulta, así como los santos, los ángeles, y los maestros ascendidos, seres de otras dimensiones y nuestros ancestros, desde el comienzo de los tiempos hasta el presente. Todos estaban allí para mí y también están ahí para ti. Sólo tienes que pedir su ayuda. ¡Qué concepto! No estás solo en los momentos de felicidad o de dificultad. Es ponerse en contacto con esa base de poder. Puedes intercambiar el destino por la fe en quince minutos; es cuestión de elegir, crear, o confirmar tu sistema de creencias.

Tener verdades de acuerdo a las cuales vivir, te fortalecen en un nivel más profundo, en un nivel más espiritual. También desarrollas un mayor sentido del propósito. Tu vida tiene más sentido porque tienes algo en lo que crees. Cuando practicas lo que predicas, o cuando incorporas tus verdades en tu vida diaria, tu vida mejora en todas las áreas. Comienzas a prosperar desde adentro hacia afuera.

En las páginas siguientes encontrarás una selección de algunos sistemas de creencias. No están allí para tratar de convencerte a probar algo nuevo, o para confundirte. Simplemente pretenden mostrarte lo que otras personas han utilizado en sus vidas. Si lees algo que te haya gustado, trata de usarlo o de experimentar con él por un día, una semana o toda una vida. En cualquier caso, añadí una breve explicación manifestando lo que yo creo que están diciendo en términos sencillos cuando pensé que era apropiado.

La verdad es conocimiento,
el conocimiento es libertad.

UNA PERSPECTIVA GENERAL DE DIVERSAS VERDADES

LOS DIEZ MANDAMIENTOS

Muchos de los seguidores del judaísmo y del cristianismo usan los Diez Mandamientos como su verdad.

1. **No tendrás Dioses ajenos delante de mí.**

   Esto significa que no debes honrar a una estatua, al fútbol o a un chocolate. Dios es el Ser Supremo.

2. **No harás ninguna imagen tallada, ni ninguna semejanza de cualquier cosa que esté en lo alto del cielo o en lo profundo de la tierra, ni que esté en el agua por debajo de la tierra.**

   Puesto que Dios está en todo y todos estamos hechos a imagen y semejanza de Dios; una imagen de Dios no puede ser capturada en ninguna estatua o en una imagen sin limitar la verdadera esencia de Dios.

3. **No tomarás el nombre del Señor tu Dios en vano.**

   ¡Deja de maldecir y usar el nombre de Dios en la misma oración!

4. **Recuerda el día del Sabbat y mantenlo santificado.**

   Ya sea domingo, sábado, viernes o martes, toma un día para celebrar y dar gracias por lo que Dios ha creado. Aprecia la vida y el mundo en el que vives.

5. **Honra a tu padre y a tu madre para que tus días puedan ser largos en la tierra que el Señor tu Dios te dio.**

   Ama y respeta a las personas que te dieron la vida. No son perfectos, pero son perdonables. Eres una parte de ellos, ya sea que lo reconozcas o no. Nosotros elegimos a nuestros padres, para que nos proporcionen un entorno y circunstancias determinadas en nuestras vidas a partir de las cuales crecer. Crecemos a través del amor.

6. **No matarás.**

   El asesinato nunca es una solución a un problema. No sólo aumenta lo que está mal, sino que también amplía nuestra incapacidad para manejar la situación.

7. **No cometerás adulterio.**

   ¡No vale la pena! Si existe un problema en casa, tener una aventura sólo hace que el problema sea más grande. Si tienes los ojos en otra persona que no es tu cónyuge, revisa el mandamiento número diez.

8. **No hurtarás.**

   Cualquier cosa que vale la pena tener, merece que se pague por ella, porque tendrás que pagar de una manera u otra. Ninguna acción queda sin consecuencia, ya sea buena o mala.

9. **No darás falso testimonio contra tu prójimo.**

   No es una buena práctica mentir acerca de tus vecinos, ni de nadie. No sólo es difícil seguirles la pista a las mentiras, sino que siempre se vuelven en tu contra.

10. No codiciarás la casa de tu vecino, no codiciarás la esposa de tu vecino, ni su siervo, ni su sierva, ni su buey, ni su burro, ni nada que sea de tu vecino.

Nadie tiene nada que legalmente no pueda adquirir, como dinero, salud, etc. En lugar de estar celoso, trata de decir "Bendigo tu prosperidad". Al hacer esto, no sólo los estás bendiciendo, sino que te estás bendiciendo con el mismo nivel de abundancia, de relaciones, o de propiedades que piensas que ellos tienen, o que tú estás deseando.

LAS LEYES UNIVERSALES

Estas leyes (y otras que no están en la lista) se enseñan en muchos centros de metafísica como una forma de entender mejor la vida. Se aplican a todas las formas de vida, no sólo a los humanos.

LA LEY DEL ORDEN Y EL SISTEMA:

Esto existe en todas las formas de la naturaleza, con evidencia, desde el más pequeño átomo hasta las galaxias más grandes. El orden es importante en tu vida. Si no tienes orden no estarás en armonía con el Universo de la naturaleza. Trabaja para tener orden en tu vida.

LA LEY DE LA ANALOGÍA:

Toda la materia está relacionada. Todo en el Universo está compuesto de las mismas sustancias básicas. Cada persona tiene dentro de sí misma todos los rasgos de la humanidad. Tú puedes escoger cuál resaltas o descartas.

LA LEY DE CAUSA Y EFECTO:

Por cada causa hay un efecto. Por cada acción, una reacción. Así que por cada pensamiento y hecho se obtiene un resultado positivo o negativo correspondiente. Sé consciente de los acontecimientos en tu vida y qué los causó.

⁂ LA LEY DEL RITMO:

En consecuencia todas las funciones de la vida deben crecer a su propio ritmo. Cada ritmo también tiene que armonizar con la naturaleza. Cuando estás en tu ritmo fluyes como una máquina bien engrasada. Entra en tu ritmo.

⁂ LA LEY DE LA BALANZA:

La naturaleza siempre busca el equilibrio. Busca un balance en tu vida, en tus actividades, en tu dieta, pero sobre todo en tus pensamientos.

⁂ LA LEY DE LA COMPENSACIÓN:

Lo que siembres, es lo que cosecharás. Recuperas lo que das. La naturaleza pide el pago de todos los dones que otorga. Trata de dar con una actitud de gratitud.

⁂ LA LEY DE LA CICLICIDAD:

Todo tiene un principio, un intermedio y un fin. Los patrones de la naturaleza se producen en un ciclo para que el equilibrio se mantenga. Tú también tienes patrones en tu vida. Repites muchos ciclos hasta que entiendes la lección que ellos representan. Aprende a reconocer los patrones y los ciclos en tu vida.

⁂ LA LEY DE LA ATRACCIÓN:

Los iguales se atraen. De acuerdo a lo que eres, a lo que haces, a lo que piensas, positivo o negativo atraes a las personas, a los lugares y a las situaciones. Presta atención a lo que atraes.

LA LEY DE LA POLARIDAD:

Todo tiene un opuesto que es de igual valor. En la naturaleza existe tanto lo positivo, como lo negativo, para permitir el cambio y la creatividad. La polaridad existe en tu cuenta bancaria, así como en tu salud. Sé consciente de esta dualidad en tu vida y aprende a trabajar con ella.

LA LEY DEL CRECIMIENTO:

Crecer o morir. Sólo hay un cambio constante. El crecimiento y la creatividad son nuestro propósito en la vida. Si no estás creciendo estás en proceso de descomposición. Busca las maneras de crecer y de cambiar para mejorar.

LA LEY DEL AMOR:

El amor es una energía poderosa y una fuerza constructiva. Se puede lograr mucho más con la energía del amor que con todo lo contrario. El amor puede hacer que las plantas crezcan más rápido, y que los niños crezcan más sanos y ayuda a los enfermos a recuperar su salud. Haz un esfuerzo por llenar tu vida con amor.

EL SENDERO DE LOS OCHO PRINCIPIOS DE BUDA

Los budistas creen que el budismo no es algo para seguirse, sino más bien algo que se practica en la vida diaria.

1. **La creencia correcta:**

   La fe en Buda (su Ser Divino) a través de todas las situaciones.

2. **Las intenciones correctas:**

   ¿Por qué estás haciendo lo que haces? ¿Es para un beneficio egoísta? ¿Dinero? ¿O por el servicio y el amor incondicional?

3. **El hablar correctamente:**

   Hablar de una manera que no perjudique a otros; no mentir, no chismear, o no usar palabras de enojo. Piensa antes de hablar. ¿Cuál es la acción o reacción que crearán tus palabras?

4. **Las acciones correctas:**

   Concentra todo y a todos en la forma correcta. Realiza buenas obras con compasión.

5. **El ganarse la vida correctamente:**

   Elige una profesión que contribuya a la mejora del mundo en el que vivimos.

6. **Los esfuerzos correctos:**

   Esfuérzate por vencer el mal en ti mismo y en tu entorno. Se consciente de tu estado de ánimo ¡y de los cambios de humor!

7. **La conciencia correcta:**

   Presta atención a tus responsabilidades. Hazles seguimiento. Cuando tienes un trabajo por desarrollar, debes proceder a hacerlo. Concéntrate en tu dirección.

8. **La meditación correcta:**

   Entrena tu mente a través de la disciplina de la meditación y de la oración. La devoción a la realidad última o la unidad de tu verdad.

LA ESPIRITUALIDAD AFRICANA

De acuerdo con las creencia recopiladas de la Misión Etherean, una iglesia para el empoderamiento espiritual en Accra, Ghana.

- **Sólo hay un Dios, puro, santo y divino que encarna el Universo entero con su energía, inteligencia y orden.**

  Dios es una energía que fluye a través de ti, de la naturaleza, y por todo lo que hay en el planeta. Representa la vida, la creatividad y la disciplina.

- **Cada persona es una emanación divina y única de Dios, perfecta desde Dios y de Dios y es el reino terminado de Dios en la tierra.**

  Fuiste hecho a imagen y semejanza de Dios y la esencia de Dios está dentro de ti. Eres perfecto y Divino.

- **Todas las personas sin distinción de raza, religión, credo, cultura o tradiciones pertenecen al cuerpo de la familia universal del único Dios verdadero. Dios no discrimina.**

  Dios no discrimina. Él te acepta tal como eres.

- **El alma vive a través de una serie de encarnaciones hasta que haya cumplido su misión de experimentar la plenitud de su ser divino.**

  Tu alma sigue regresando al planeta hasta que ha abarcado y experimentado por completo la presencia de Dios en su interior.

- **Cada persona tiene el poder de Dios dentro de ella para dar forma a su futuro y estar a cargo de su destino.**

  Tienes el poder dentro de ti para cambiar tu vida y formar tu destino.

- **El diablo, supuestamente creado por Dios Todopoderoso, no existe. Dios es verdaderamente omnipotente y demasiado puro como para coexistir con tal cosa.**

  ¡No existe el Diablo!

- **La salvación no es el transporte de un lugar a otro, es la transformación de la conciencia de la condición humana a nuestro estado natural espiritual de Dios.**

  La verdadera salvación no viene cuando uno muere o cuando te sumerges en el agua. Aparece cuando cambias tu conciencia de la existencia cotidiana, a una existencia con la conciencia de Dios.

- **Cada persona es libre de adorar a Dios dentro de su cultura que inspira a los más altos ideales.**

  Dondequiera que estés en tu vida hay un sistema de creencias o la religión que te alienta y te ayuda en tu crecimiento y tus experiencias.

LAS LEYES DE LA PARADOJA

La filosofía hermética del antiguo Egipto y Grecia.

1. **Renuncia a las cosas materiales y obtendrás cosas espirituales.**

   Al rechazar un estilo de vida materialista obtendrás conocimiento y discernimiento espiritual.

2. **Cuando buscas sólo lo espiritual obtendrás lo espiritual y lo material.**

   Las recompensas de la búsqueda y obtención del conocimiento espiritual son las manifestaciones materiales.

3. **La clave es necesitar lo material, no quererlo o desearlo.**

   No dejes que el deseo de bienes materiales como casa, coche y dinero dicten tus pensamientos. Está bien que necesites un techo sobre tu cabeza, pero la clave no es desear o querer una mansión.

4. **Debes darte cuenta de que las cosas están sucediendo en diferentes niveles o planos.**

   Las cosas nunca son como parecen. Siempre hay más sucesos de los que crees. Cuando las mismas cosas les están ocurriendo a dos personas, es por dos razones diferentes. Tus experiencias de la vida determinan por qué sucede esto en este momento particular en la vida de ambos. Esas mismas experiencias traerán consigo diversas reacciones a la situación. Tus lecciones de vida no son iguales a las de tu vecino.

5. **Si no tienes principios en la vida, no tienes nada y le cosecharás una deuda a tu karma.**

   Si no tienes un sistema de creencias, tú no estás a favor de nada, tu vida no tiene sentido. Le cosecharás una deuda a tu karma, porque sin principios en tu vida has limitado tu potencial de crecimiento. Repite la lección hasta que crezcas lo suficiente.

6. **Tienes que ser capaz de alejarte de tus deseos con el fin de obtenerlos.**

   Cuando hayas hecho todo lo posible para manifestar tu deseo, debes dejarlo ir. Si está predestinado, lo conseguirás. Si no es así, no era para que lo tengas en este momento.

7. **Cuando tienes entendimiento, estás completo.**

   Al comenzar a entender las verdades espirituales, los vacíos en tu alma se llenan y te completas.

8. **Cuanto más materialista seas, la vida más dolorosa será.**

   Entre más materialista seas, menos espiritual serás. La gente materialista por lo general no es muy feliz porque está en constante lucha por los sueños vacíos. No viven para llenar un propósito en el mundo.

9. Cuando el hombre pueda tener disciplina, entonces la ley puede entrar en escena.

Es a través de la disciplina de la meditación, la oración, o incluso el ejercicio, que el espíritu puede entrar en el templo de tu cuerpo y revelarse para ti.

CIENCIA RELIGIOSA

También se conoce como "ciencia de la mente"

La ciencia de la mente se basa en la teoría de que hay una mente infinita, que incluye al hombre, a los animales y a la presencia invisible de Dios. Esta mente puede ser utilizada para manifestar un perfecto estado de salud, una amplia prosperidad y un estilo de vida equilibrado.

- **Ellos creen en la encarnación del espíritu en el hombre y que todos los hombres son encarnaciones de un mismo espíritu.**

  Fuiste creado a imagen y semejanza de Dios, y el espíritu de Dios está en todos los hombres y las mujeres.

- **Ellos creen en la eternidad, la inmortalidad y la continuidad del alma individual, siempre y por siempre en expansión.**

  Si el hombre es una encarnación de Dios, entonces el espíritu del hombre es como el de Dios, ilimitado, divino y eterno.

- **Ellos creen que el reino de los cielos está dentro del hombre y que experimentamos este reino en la medida que nos hacemos conscientes de ello.**

  El reino de los cielos es el reino de la armonía, la alegría, el amor y la plenitud. Se trata de un reino interior. El cielo no es un lugar, sino un estado de conciencia.

- **Ellos creen que la meta suprema de la vida es estar en una completa emancipación respecto a todas las discordias de toda naturaleza, y que es seguro que esta meta la alcancen todos.**

  La evolución de la vida es eterna. No hay un final para nuestro crecimiento y nuestra evolución.

- **Ellos creen en la unidad de toda la vida, y que el Dios más alto y el Dios interior es un Dios.**

  Todos somos uno.

- **Ellos creen que Dios es personal para todos aquellos que sienten esta presencia interior.**

  Cada persona es una encarnación de Dios. Cada persona es un individuo y todos son una encarnación única.

- **Ellos creen en la revelación directa de la verdad a través de la naturaleza intuitiva y espiritual del hombre y que cualquier hombre se convierte en un revelador de la verdad que vive en contacto cercano con Dios el cual mora en nosotros.**

  Cuanto más te esfuerzas por conocer a Dios, para comprender las enseñanzas de la verdad, más se revelará contigo.

- **Ellos creen en la sanación de los enfermos a través del poder de la mente.**

  La sanación comienza en tu mente. Si crees que puedes ser sanado, estás a la mitad de camino.

- **Ellos creen en el control de las condiciones a través del poder de la mente.**

Puedes crear situaciones positivas o negativas o condiciones de salud en tu vida a través de tu pensamiento.

- **Ellos creen en la bondad eterna, la amabilidad-amor eternos de la vida, y la generosidad eterna de la vida para todos.**

  El espíritu de Dios está disponible para todos, independientemente de dónde estés en tu vida, o de lo que hayas hecho. El amor de Dios trasciende a través de cualquier error o duda al llegar a tu verdadero yo.

- **Ellos creen en nuestra propia alma, nuestro propio espíritu, y nuestro propio destino, porque entendemos que la vida del hombre es Dios.**

  El hombre no es sólo un centro de conciencia de Dios, él es un ser inmortal, siempre en expansión y crecimiento en su estatura espiritual.

MI VERDAD

He obtenido mi creencia de diversas enseñanzas que han sido expuestas a lo largo de mi vida y en la actualidad ésta es la forma en la que vivo mi vida.

1. **DIOS**

   Veo a Dios en todo el mundo. Me hago a un lado y dejo que Dios sea Dios en mi vida. Dios es todo lo que hay.

2. **REGLA DE ORO**

   Yo hago a los demás como me gustaría que ellos me hicieran a mí.

3. **AMOR**

   Amo a todos y a todo. Si es necesario trato de encontrar razones para el amor.

4. **RESPONSABILIDAD**

   Yo soy responsable de las cosas que hago. Mis acciones traen reacciones.

5. **LIBERTAD**

   Yo tengo el poder de elegir mi camino y de cambiarlo.

6. **PENSAMIENTOS**

   Lo único que tiene completo control sobre mis pensamientos es lo que yo pienso, lo que yo quiero lograr en mi vida. Me baso en la vibración de mis alegrías y mis penas. Mi estado de ánimo crea mi estado de resultados.

7. **PERDÓN**

   No es válido celebrar la pena y el rencor. Ningún dolor es tan ligero que valga la pena cargarlo. El mañana no se puede prometer. Perdona el ayer, perdona hoy, perdona ahora.

8. **ABUNDANCIA**

   Dios es la fuente de mis suministros, ninguna persona, lugar o condición los controla. Dios es ilimitado, por lo tanto, mis suministros son ilimitados.

9. **RISAS**

   Río y el mundo entero ríe conmigo. Lloro y arruino mi maquillaje. Si puedo ver el humor en cualquier mala situación, estoy a la mitad del camino para salir de ella. Me río a menudo y mucho, pero sobre todo de mí mismo.

10. **SERVICIO**

    Yo estoy aquí para servir. El servicio es un don que debe ser dado con alegría, en el dar uno recibe. El servicio es la renta que pagamos por el privilegio de vivir en esta tierra.

11. **GRATITUD**

    Una actitud de gratitud es esencial. Estoy agradecida por cada aliento que respiro, por cada vida con la que interactúo. Estoy agradecida por cualquier cosa y por todo, porque todo es una bendición de Dios.

EJERCICIOS DE LA VERDAD

Valoración de las creencias

Herramientas necesarias: Lápiz o pluma para escribir, papel y honestidad.

Tiempo necesario: Quince minutos.

Resultados: Una valoración clara de aquello en lo que uno cree.

Antes de cambiar o adaptar un sistema de creencias, es importante que seas claro sobre lo que realmente crees. Incluso si aquello en lo que crees funciona para ti, es importante que lo revises en alguna ocasión. A medida que creces, tus creencias crecen. A medida que cambias, tus creencias también cambian.

El propósito de tener un sistema de creencias es fortalecer tus cimientos a nivel del alma. Aquello en lo que crees resuena desde lo más profundo de tu alma. Aquello en lo que crees hace que actúes en consecuencia, sobre una base diaria. Muchos creen en "no robarás" y no lo hacen. Actúan en base a esta creencia, aun cuando están tentados no roban.

A veces tus creencias son tan viejas, que ni siquiera sabes de dónde vinieron. Es posible que tú vivas las creencias de alguien más. La meta de este ejercicio es ayudarte a ser claro en lo que crees y por qué es importante para ti.

Con lápiz y papel en mano, contesta las siguientes preguntas con honestidad y sé claro en tu postura respecto a tus creencias.

1. **¿En quién crees?**

   Muchos creen en Dios, Jehová, Buda, el Espíritu Divino, el Ser Infinito. ¿Quién o qué consideras como tu fuente superior?

2. **¿En qué crees?**

   ¿De acuerdo a qué declaración o declaraciones vives tu vida?: Dios es amor. Si quiero que algo se haga bien, tengo que hacerlo yo mismo. Trata de no convertirte en una persona exitosa, sino, más bien en una persona de valía. Tal vez sea un poema o una frase la que resuma tu vida.

3. **¿Hace cuánto tienes esas creencias?**

   ¿Un mes? ¿Un día? ¿Veinte años?

4. **¿Dónde adquiriste tus creencias?**

   ¿Se te transmitieron de la familia o de la escuela? ¿Las has aprendido a partir de libros o amigos? ¿Las has aprendido de tu última relación?

5. **¿Entiendes lo que realmente significan tus creencias?**

   ¿Estás tratando de practicar algo que no está definido con claridad para ti?

6. **¿Tu sistema de creencias te funciona hoy en día?**

   ¿Aquello en lo que crees te está produciendo buenos resultados en tu vida actual o es obsoleto?

7. **Si no funciona para ti, ¿cuál es la razón? ¿Cuáles son sus defectos?**

   ¿Son tus creencias demasiado limitadas, demasiado vagas o demasiado amplias?

8. **Si funciona para ti, ¿realmente lo estás usando en toda su extensión para maximizar los resultados en tu vida?**

   ¿Realmente practicas lo que dices?

Pasos:

1. Responde las siguientes preguntas:

- ¿En quién crees?
- ¿En qué crees?
- ¿Hace cuánto tienes esas creencias?
- ¿Dónde adquiriste tus creencias?
- ¿Entiendes lo que realmente significan tus creencias?
- ¿Tu sistema de creencias funciona para ti hoy en día?
- Si no es así, ¿cuál es la razón? ¿Cuáles son sus defectos?
- Si funciona para ti, ¿realmente lo estás usando en toda su extensión para maximizar los resultados en tu vida?

2. Revisa las afirmaciones de la verdad en este capítulo.

3. Haz el ejercicio de *Creación de un sistema de creencias.*

Creación de un sistema de creencias

Herramientas necesarias: Papel, instrumentos para escribir, deseo.

Tiempo necesario: Quince minutos diarios por siete días.

Resultados: Un nuevo cimiento según el cual vivir tu vida.

Tus verdades definen tu vida. Tu vida es lo que decides que sea. Soy una firme creyente en que las únicas cosas de las que tienes el control en tu vida son tus pensamientos, y tus pensamientos sobre ti mismo son los más poderosos.

Antes de crear un nuevo sistema de creencias, debes estar dispuesto a ver cómo tu sistema actual está trabajando para ti. Al examinar tus creencias la meta no es encontrar los defectos, sino obtener claridad. Antes de poder cambiar o mejorar tu vida hay que ser conscientes de cuál es tu situación actual. Es importante saber que dondequiera que te encuentres en este momento en tu sistema de creencias, no estás estancado. Tus verdades cambian a medida que cambias. Conforme creces, tu sistema de creencias crece porque cosas diferentes son verdaderas en tu vida. Cuando no tienes dinero, muy a menudo tu creencia sobre la abundancia es: *Si pudiera ganar suficiente dinero como para pagar mis deudas sería feliz.* Cuando creces para superar la carencia o la limitación, o cuando obtienes un medio estable de ingresos, tu verdad cambia a *todas mis necesidades están cubiertas*. La clave para la creación de un nuevo sistema de creencias es que debes crear verdades con las que puedas crecer. Crea una verdad para ti mismo y vive conforme a ella. *Todas mis necesidades están cubiertas*, tal vez no sea tu realidad actual, pero si te apoyas en esa verdad por medio de recitarla a diario y desearla con toda tu alma y tu corazón, se convertirá en tu realidad. Encontrarás que milagrosamente se cubren todas tus necesidades. Aquello en lo que crees se demuestra en tu vida todos los días, te des cuenta o no. Tus buenas creencias crean resultados positivos y tus creencias que no son tan buenas crean negatividad. La buena noticia es que no estás atrapado en tus creencias actuales. Incluso si son buenas, puedes mejorarlas. Puedes cambiar el cimiento de tu vida en siete días y crear una vida más equilibrada, amorosa y significativa.

Durante los primeros dos días del ejercicio, examina tu vida. Toma nota de lo que te está funcionando bien a comparación de las partes donde necesitas mejorar. Observa tus pensamientos en las áreas de la religión, de la familia, de la carrera, de la abundancia, de la salud, de las relaciones, de los servicios y de cualquier otra cosa que sea importante para ti. Lo que quiero decir con "observar" es pregúntate cómo te sientes sobre la familia, el servicio, el trabajo o Dios. Luego ve qué pensamientos te vienen a la mente.

En el tercer día crea dos columnas en una hoja de papel. En un lado, escribe las siguientes palabras: Dios/religión, familia, relaciones, amor, entorno, salud, dinero, abundancia, trabajo y/o carrera, servicio, perdón, generosidad, dar, recibir y vida. Puedes añadir más si lo deseas, pero estos temas son un buen comienzo. Durante los próximos dos días escribe en la segunda columna tus creencias actuales sobre cada uno de los temas mencionados; es importante que no edites lo que escribes mientras haces este ejercicio. No escribas la familia lo es todo, si no le diriges la palabra a algún miembro de tu familia. Admitir dónde estás ahora te dará el poder de crecer desde tu estado actual hasta un estado más poderoso de ser.

Durante los días cinco y seis, tienes la gran oportunidad de crear tu nuevo sistema de creencias. Algunas de las cosas que escribiste en tu segunda columna tal vez son buenas, pero tómate un momento y ve cómo puedes hacerlo mejor. Si tu creencia actual es: *todas mis necesidades están cubiertas,* eso es genial. Trata de añadirle algo a eso *y lograr grandes cosas a través de este equilibrio en mi vida.* Si actualmente sientes que tus relaciones representan un reto, cambia tu creencia a *trato a las personas como me gustaría ser tratado sin importar quiénes sean, ni lo que yo perciba que tienen que hacer para mí.* No dudes en tomar prestado algunos de los ejemplos que se dan en este libro. También puedes obtener las creencias de otros libros que hayas leído, de la gente a la que has escuchado, y de la televisión y el cine. Yo encuentro en la televisión y el cine una maravillosa fuente de sabiduría.

Está bien hacer que tus creencias sean más grandes que tú. Al principio quieres creencias que sean un reto, que hagan que veas tu vida y controles tus pensamientos sobre una base regular. Quieres creencias que hagan que tengas una vida plena, maravillosa y divertida cuando las estás viviendo activamente. Imagina por un momento que todas tus necesidades están cubiertas. Esto te liberaría para ser más creativo, más amoroso, más generoso y más aventurero. No te convertiría en alguien que malgasta tiempo y dinero, sino en alguien que vive la vida al máximo con una actitud de gratitud. Has visto a gente como ésta. Algunos son famosos y otros no lo son. Recuerda que tus creencias no son permanentes. Evolucionan del mismo modo que tú lo haces.

En el día siete, personifica tus nuevas creencias. Con esto quiero decir que las reclames como tuyas y empieces a vivirlas. Este proceso es sencillo. Siéntate en una posición cómoda y relájate. Toma tu primera creencia y afirma lo siguiente: *Yo (di tu nombre) creo ahora que (afirma tu creencia). Así es como vivo mi vida ahora.* Haz esto para cada una de tus creencias. Tómate un momento después de cada declaración para permitirte sentir la vibración de tu creencia. Si tu creencia es: *el amor es todo lo que hay,* ¿cómo se siente eso? Para el momento en que hayas terminado con todas tus nuevas creencias debes sentirte muy bien. Incluso te puedes conmover hasta las lágrimas, porque ahora tienes un sentido de la grandeza que se encuentra dentro de ti. Te sugiero que des las gracias por tu nueva conciencia.

Sobre una base diaria revisa tu lista hasta que te lo aprendas. Actúa en consecuencia. Puedes encontrar que al principio tienes un reto, pero sabes que eso es una oportunidad para vivir tus creencias. Afírmalas por la mañana, al medio día y por la noche si es necesario. Haz esto hasta que no puedas ser sacudido por los acontecimientos en el mundo o por lo que sucede en tu propio patio trasero. Éste es un ejercicio de gran alcance que puede cambiar tu vida y acercarte a la comprensión de tu verdadero yo.

Pasos

1. En el día uno y dos examina tu vida. Toma nota sobre lo que te está funcionando bien en comparación con las áreas que necesitas mejorar. Observa tus pensamientos en las áreas de la religión, la familia, la carrera, la abundancia, la salud, las relaciones, el servicio y cualquier otra cosa que sea importante para ti.
2. En el día tres crea dos columnas en una hoja de papel. En un lado escribe Dios/religión, familia, relaciones, amor, entorno, salud, dinero, abundancia, trabajo y/o carrera, servicio, perdón, dar, recibir y vida. En los siguientes dos días escribe en la segunda columna tus creencias actuales en cada uno de los temas anteriores.
3. En el día cinco y seis crea tu nuevo sistema de creencias.
4. En el día siete personifica tus nuevas creencias. Siéntate en una posición cómoda y relájate. Toma tu primera creencia y afirma lo siguiente: *Yo (di tu nombre) creo ahora que (afirma tu creencia). Así es como vivo mi vida ahora.* Haz esto para cada una de tus creencias. Tómate un momento después de cada afirmación para permitirte sentir la vibración de tu creencia.
5. Da las gracias.

Centrarse en la verdad

Herramientas necesarias: Deseo por una conciencia más fuerte, papel, lápiz o pluma para escribir.

Tiempo necesario: Quince minutos diarios por veintiún días.

Resultados: Estar anclado en tu verdad. Un cambio positivo en tu vida.

Estar centrado es formar una unidad contigo mismo y con el mundo que te rodea. Se trata de saber quién eres y de lo que eres capaz. Es la paz interior debido a tu conocimiento profundo de que todo lo que requieres está dentro de ti y de que todas tus necesidades están cubiertas.

Este ejercicio consiste en ayudarte a volver a ese lugar de paz y de vida abundante. Este ejercicio te ayudará en la construcción o reconstrucción de un cimiento de tu interior el cual se basa en la verdad espiritual. Si se los permites estas verdades tienen el poder de cambiar tu vida para bien.

He elegido veintiún días, ya que se requiere ese tiempo para crear o cambiar un modelo a nivel celular. Lo que estás haciendo en este ejercicio es establecer las capas de la verdad como algo similar al trabajo de un albañil. Cada ladrillo de la verdad que colocas, estás sellándolo con tu conciencia renovada y eso le aplica cemento, así que para el día veintiuno estás sólido en una nueva forma de pensar y de ser.

Al ayudarte a reconstruir tu cimiento, decidí examinar las tres aéreas que afectan el equilibrio en tu vida: conciencia, sanación y abundancia. El proceso es simple. Cada día te concentrarás en un área en particular, leyendo tres veces la afirmación específica de la verdad. Sugiero que sea lo primero que hagas en la mañana o antes de irte a dormir en la noche. Después de recitar la afirmación del día, lo cual puedes hacer en voz alta o en silencio, cierra tus ojos y compréndela. Lo que quiero decir con esto es que te permitas sentir las palabras y su significado en tu cuerpo. Toma las palabras y pregúntate ¿cómo se sentiría que *el amor toque cada célula de mi cuerpo?* Luego, después de unos cuantos minutos escribe tus sentimientos, pensamientos o revelaciones a partir del proceso del día.

A continuación hay tres afirmaciones de verdad. Lee *una* afirmación cada día en el orden dado. Esto significa que repasarás toda la lista *siete* veces durante el periodo de veintiún días. Sugiero que lleves un diario por separado para los veintiún días. En la primera página de tu diario escribe lo siguiente:

Yo (nombre) me comprometo a vivir la vida para la que estoy aquí. Mi pasado está detrás de mí y no tiene poder sobre mí. Mi futuro no es pertinente en este momento. Lo que es más importante es este preciso momento, justo ahora, es saber que en este momento el poder dentro de mí es capaz de producir una vida más grande que cualquier cosa que yo pueda imaginar. En este momento libero mi vieja forma de pensar y mi vieja forma de ser. En este momento dejo los pensamientos limitantes acerca de mí mismo. Libero mi capacidad para el autosabotaje. Suelto mis miedos y todos los patrones negativos que me están apartando de los beneficios que el Universo tiene para mí. Convoco de mi interior a mi mayor yo. El yo que estoy llamado a ser aquí. En este momento convoco al poder, al amor y a la presencia de Dios que está dentro de mí con toda su fuerza. Acepto este poder. Acepto este amor. Y acepto la presencia de Dios dentro de mí y en mi vida, ya que sé que esta presencia es mi fuente verdadera para todo. Deseo y merezco y estoy agradecido. Doy las gracias por esta conciencia y rededicación para mí.

Entonces firma con tu nombre. Ésta es tu declaración de verdad de que estás preparado para el cambio positivo en tu vida. Estás diciendo que quieres vivir la vida para la cual naciste. Nadie nació para estar enfermo, para ser pobre o ser infeliz. Naciste para vivir una vida rica y plena. Una vida llena de alegría y propósitos. Al liberar tu pasado y al rededicarte al verdadero tú, te estás abriendo a la abundancia en todas las áreas de tu vida, incluyendo la salud, las finanzas, el amor y el simplemente ser. Ahora decide que estás preparado. Mientras trabajas con las afirmaciones diarias, permítete creerlas como tu realidad. Te aseguro que mientras trabajas con ellas, verás pequeñas transformaciones en tu vida. No rompas el ciclo. Si por alguna razón te saltas un día, debes comenzar nuevamente desde el principio. Esto se debe a que estás creando una nueva conciencia, una capa encima de la siguiente. ¿Comprarías una casa por un elevado precio si no tuviera un cimiento sólido? Este ejercicio es acerca de construir un nuevo cimiento sólido para ti. No te engañes. Estás haciendo esto debido a que quieres un cambio positivo en tu vida; permítete experimentarlo al cien por ciento.

Afirmaciones de la verdad

1. La conciencia divina

Estoy de acuerdo con la idea de la inteligencia proveedora de todo, que gobierna al Universo. Mi conexión directa con esta conciencia divina lleva la esencia de Dios a mi mente, a mi cuerpo y a mi espíritu. Esta esencia me llena de una conciencia de la verdad. En realidad sé que Dios es todo lo que hay. En efecto sé que la inteligencia infinita lleva claridad y orden a todas las áreas de mi vida. En este momento mi conciencia se expande cincuenta veces su tamaño actual. (Haz una pausa y toma tres respiraciones profundas). La luz de Dios me rodea y sé que todo está bien en mi vida. Sé que me guían en forma divina a través de toda mi vida y mi camino se clarifica. Convoco a las respuestas y a las soluciones de todas mis preocupaciones. Estoy alineado con el Espíritu Divino. No hay un momento en el que esté yo solo. Siempre estoy protegido y mis necesidades siempre están cubiertas. Sé que la paz que supera toda la comprensión es la paz que ahora fluye a través de mí. Confío en mí. Confío en el Espíritu Divino. Confío en el proceso conocido como el viaje de mi vida. Todo está bien.

2. Sanación

El amor proveedor de todo lo que viene de Dios sana el templo de mi cuerpo. Este amor se difunde e irradia a través de mí, produciendo una sanación total y completa. Estoy saludable y soy resistente a todas las enfermedades. Tengo hábitos saludables de alimentación y ejercicio. El templo de mi cuerpo es saludable e íntegro. Me transformo a medida que la vibración del amor vibrante toca cada célula de mi cuerpo. (Haz una pausa y da tres respiraciones profundas). Esta vibración de amor fluye hacia todos con los que estoy en contacto en forma mental, física y emocional. Este amor los sana de la misma forma en que me sana. Me doy cuenta de que el amor es todo lo que hay. Cuando tengo duda, yo amo. Cuando tengo necesidad, yo amo. Cuando estoy agradecido, yo amo. Cuando estoy enamorado, yo amo. Camino en el amor de Dios. El amor es la respuesta a todo lo que me preocupa. Es a través del amor que recibo la claridad, las respuestas y las bendiciones. Estoy agradecido por el amor sanador de Dios. Todo está bien.

3. Abundancia

Dios es la fuente de mis suministros. Sabiendo esto, sé que ninguna persona, lugar, situación o emoción está a cargo de mi abundancia. Mi conexión con el Espíritu Divino cancela todos los pensamientos, patrones y hábitos de limitación y autosabotaje. Estoy lleno con el espíritu de la abundancia y todas mis necesidades están cubiertas. La carencia y las limitaciones se disuelven de mi vida y vibración y estoy lleno con la abundante luz de Dios. Esta luz irradia a través de mí, llenando mi vida con prosperidad, oportunidad y bendiciones. (Haz una pausa y da tres respiraciones profundas). Mientras convoco a la Voluntad Divina, mi vida asume un nuevo significado. Ahora tengo una vida de propósito, promesa y productividad. Mi camino se aclara y estoy lleno con la confianza y la concentración requerida para seguirlo. Reconozco que aquello que busco me está buscando, y que aquello que deseo ya se está manifestando. Estoy agradecido por mi vida. Estoy agradecido por la Presencia Divina en mi vida. Todo está bien.

Pasos

1. Selecciona un día para comenzar tu proceso de veintiún días.
2. Escribe y firma la afirmación de tu compromiso.
3. Cada día durante los siguientes veintiún días, selecciona la afirmación para ese día, léela o recítala tres veces.
4. Compréndela.
5. Escribe tus pensamientos.

Nota Especial:

Si pierdes un día debes comenzar de nuevo desde la afirmación del compromiso.

PARTE TRES

CONCÉNTRATE EN TU VIDA

IDENTIFICA DÓNDE NECESITAS AYUDA

A veces nuestro mayor problema es tratar de averiguar qué es lo que está mal.
¡Otras veces sólo se trata de admitirlo!

Cuando te tomas el tiempo para concentrarte en tu vida, puedes ver claramente por qué las cosas son de la manera que son. Cuando la vida funciona como una máquina bien engrasada, no es por accidente; has hecho algo correctamente. Te has tomado el tiempo para remover ciertos elementos de tu vida y también has impuesto ciertas cosas positivas, ya sea que te des cuenta de ello o no. Esto es bueno y debes felicitarte por ello.

¿Está tu vida donde quieres que esté? ¿Estás haciendo lo que quieres hacer? Así lo espero, ésa es la forma en la que deberían ser las cosas. Desafortunadamente, muchos de nosotros no estamos experimentando nuestra vida ideal. Muchos de nosotros nos consumimos por el enojo. No puedes dejar de llorar. Nada parece funcionar. El dinero fluye hacia afuera..., nunca hacia adentro. Tal vez vayas de crisis en crisis. No puedes encontrar trabajo para salvar tu vida. Posiblemente todos tus amigos te han abandonado y tú no sepas la razón.

En lo que a ti concierne, estás haciendo lo mejor que puedes; sin embargo, el mundo ha convertido tu ostra en fango y comienza a apestar. Echemos un vistazo general a tu vida.

Nada en tu vida se crea de la noche a la mañana. El éxito, la riqueza, una mala relación o el cáncer, todo esto requirió de tiempo para manifestarse. A veces te has estado sintiendo mal durante tanto tiempo, que no sabes lo que es la alegría. Alguien te pregunta: "¿Qué te haría feliz?". Y no lo sabes. Has estado en la modalidad de "ir sobreviviendo", o en la posición de "sólo haciendo lo suficiente para irla pasando" durante tanto tiempo, que te has negado la capacidad de *sentir*. Desafortunadamente, para muchos, estas afirmaciones son normales. Pero la buena noticia es que tienes el poder para cambiar tu vida. Hay una clave para manifestar los verdaderos deseos de tu corazón y empoderarte.

El cambio comienza con aceptar que tienes un problema. Una vez que admites que algo está mal ya llevas medio camino recorrido. Con frecuencia, lo que tal vez piensas que sea el problema, no lo es. Por ejemplo, digamos que se trata de dinero. El dinero es una forma de seguridad. Hay ocasiones en tu vida en las que no crees que puedas cuidarte de ti mismo. No hay suficiente de algo, siempre estás en deuda. Eso es ocasionado por un sistema de creencias, ¿pero dónde comenzó? Muchas cosas en tu vida, buenas o malas, son iniciadas por un incidente. Alguien hizo que te sintieras inadecuado. Un padre siempre dice: "apenas la vamos pasando" o "nunca tenemos lo suficiente". Un maestro tal vez haya dicho: "Tú nunca harás nada de importancia" y guardaste esa forma de pensamiento en tu almacén mental también conocido como tu inconsciente. Aunque no piensas en esa afirmación, está ahí gobernando tu vida. Siempre te encuentras en el mismo lugar, pero estás usando diferente ropa.

Primero, vamos al centro del asunto, dónde y cuándo se pronunciaron por primera vez las palabras. Entonces las puedes cambiar y convertirlas en escalones para llegar al éxito. Al estar dispuesto a ver tu pasado y analizar tu presente, comienzas a prepararte para la acción y para definir el futuro que deseas.

Suceden cosas en la vida para enseñarte y someterte a pruebas. La vida no siempre es agradable y tú no siempre pasas la prueba. Sin embargo, cuando no pasas la prueba repites la lección. ¿Tienes un amigo que siempre parece atraer el mismo tipo de mala relación una y otra vez? ¿En alguna ocasión has comenzado un nuevo trabajo sólo para encontrar los mismos problemas que existieron en el último que tuviste? Los demonios te siguen hasta que los encaras. Una vez que los encaras ya no tienen poder. Recuerda, tus demonios son tus ángeles tratando de liberarte.

Nota los patrones en tu vida. Reconoce los sentimientos de dolor, enojo, depresión o lágrimas. Cuando tu alma te grita para que cambies a través de un dolor o una enfermedad sin explicación, ésa es la forma en la que tu alma dice *tú me lastimaste. Tú me has negado el amor que merezco. Exijo que dejes de hacer eso ahora y no vamos a movernos hasta que algo cambie*. Por supuesto que puedes tomar píldoras, fármacos, alcohol, hierbas, u otras cosas que están disponibles para hacer que pienses que estás bien por un rato, pero eso siempre regresa. ¿En alguna ocasión has notado, cuando estás abrumado por el trabajo o por una crisis, que de repente te enfermas de influenza a mitad del verano? ¿Coincidencia? ¡Para nada! Tu cuerpo dijo: ¡ALTO! ¡Reduce la velocidad! ¡Déjate de tonterías!

Lo mismo sucede cuando te terminan en una relación; hay una parte de ti que comienza a dejar de funcionar. Tu cuerpo está liberando no sólo a esa persona, sino lo que representa, del interior al exterior. Con un poco de suerte, puedes ver la lección que esa persona representó en tu vida y aprender de eso. Después, tu siguiente relación será mejor porque has crecido.

Saber quién eres te ayuda a superar cualquier situación. ¿Quién eres? Eres más que tu nombre de nacimiento. Eres más que un cuerpo formado por células. Eres una emulación única de Dios. Al igual que Eva y Adán, todos estamos hechos a imagen y semejanza de Dios. Todos tenemos un Propósito Divino y todos somos perfectos a los ojos de Dios. Es tu visión de ti mismo lo que necesita corrección.

La visión que el mundo ve de ti
comienza desde tu interior.

EJERCICIOS DE CONCENTRACIÓN

Ejercicio del centrado de la vida

Herramientas necesarias: Pluma, papel, deseo, honestidad.

Tiempo necesario: Quince minutos.

Resultados: Centrarse en lo que realmente está sucediendo dentro de ti.

Escribe las respuestas a las siguientes preguntas:

1. En este momento, ¿qué estás sintiendo? ¿Enojo? ¿Depresión? ¿Dolor? ¿Fatiga? ¿Ansiedad? ¿Estás abrumado? ¿Sientes cómo que estás perdiendo algo? ¿Sientes hormigueo por todas partes? La respuesta a esto no necesariamente es una palabra o un sentimiento. Puedes estar sintiendo muchas cosas o nada en absoluto. A veces, te sientes vacío y para ser honesto, ésa no es una mala situación en la cual estar. Cuando estás vacío, necesitas reabastecerte. Necesitas volverte a llenar con lo que quieres en tu interior. Por lo general, si estás saturado de una emoción diferente a una emoción positiva, primero debes estar dispuesto a drenar o a liberar esa emoción del templo de tu cuerpo antes de que puedas reabastecerte.
2. ¿Cuánto tiempo te has estado sintiendo de esta forma? ¿Apenas comenzaste hoy? ¿La semana pasada? ¿El

último año? ¿Te has estado sintiendo mal durante tanto tiempo que no puedes recordar cómo era sentirse bien? Sé honesto contigo mismo. ¿Cuándo comenzó esto? ¿Hubo un incidente que inicialmente originara esos sentimientos? Muchas veces un pequeño sentimiento que pasa desapercibido puede crecer como una bola de nieve para convertirse en un estado desagradable en la vida.

3. ¿De qué se trata esto? Escucha la respuesta que llega desde tu interior. Por lo general rápidamente va seguida de la duda y el miedo de decir que la actividad casi ha llegado a su final. ¿Se trata de tu trabajo? ¿De tu matrimonio? ¿De tu falta de seguridad? ¿Del ego? ¿De amor o falta de él en tu vida? ¿Necesitas dejar un hábito? ¿Hay alguien en tu vida al que necesitas dejar ir? ¿Necesitas decir tu opinión acerca de algo? ¿Alguien te hizo o te dijo algo que no está resuelto? Escríbelo. Cuando sepas de qué se trata, entonces es el momento de admitirlo. Es la única forma de superarlo y llegar a la verdad de tu ser.

4. ¿De qué se trata realmente? Muchas veces lo que crees que es la respuesta no lo es en absoluto. Piensas que el conflicto que estás teniendo para conservar tu empleo se basa en el hecho de que siempre están evaluando tu trabajo, cuando en esencia el problema proviene de la ocasión en la que alguien te dijo que no te iría bien en la vida. Así que ahora es un miedo al éxito. Tu temor a salir y a pedir el trabajo que realmente quieres tener. Posiblemente se trate de un trabajo que (debido al

miedo) ni siquiera hayas admitido que lo querías. En forma secreta te asuste la idea de que si obtienes el trabajo, tal vez no seas capaz de hacer lo que tu corazón realmente quiere hacer. En pocas palabras, que no seas capaz de manejar tu sueño. Tal vez tengas una relación corta tras otra no porque tengas fobia a los compromisos, sino porque tus padres se separaron cuando eras niño y te sentiste abandonado. Te sentiste lastimado. Amabas a alguien y se fue. Hay una parte de ti que combate la posibilidad de que eso vuelva a suceder y comienza a funcionar una alarma, en una gama de formas creativas, que te impide relacionarte (o que atraigas a compañeros) en lo que podrían ser relaciones duraderas. ¿Atraes a un compañero que está casado? O tal vez se trate de alguien que trabaje demasiado o que sea excesivamente ambicioso y no tenga tiempo para ti. ¿Abusas física o emocionalmente de tus compañeros y luego te preguntas por qué se van? ¿Te involucras en relaciones a larga distancia? Ellos realmente no pueden dejarte si nunca estuvieron ahí al cien por ciento. *La verdad es que te estás dañando una y otra vez al limitarte y al limitar la cantidad de amor que te permites tener en tu vida.*

5. ¿Estás listo para soltar y dejar ir? Es una pregunta simple aunque importante, pues es el punto de cambio para tu situación. A veces queremos estar enojados o deprimidos un poco más de tiempo. No estamos preparados para perdonar u olvidar. Queremos permanecer en una mala relación; en cierto nivel la hemos aceptado. Disfrutamos el estar en la bancarrota, viviendo en nuestro auto. Si no tuvieras problemas no tendrías nada de qué quejarte y nadie te escucharía. En tu situación actual, tal vez recibas la atención que normalmente no tendrías. Tal vez eso se siente bien en una forma enfermiza y patética. Todos necesitamos amor. Todos necesitamos atención. También necesitamos saber que podemos tener eso y ser felices. Puedes estar libre de problemas, de enfermedades, de relaciones problemáticas y de tensión financiera. Es cierto; tú también puedes tener todo. Conoces o has conocido a personas que no tienen problemas importantes en su vida. Muchas veces las envidias. Así que la siguiente vez, trata de decir: "Bendigo tu prosperidad". (Aquello que bendices, lo magnetizas hacia ti).

6. ¿Estás preparado para liberar tu dolor y avanzar? Sólo di: "¡SÍ!". Escríbelo en tu hoja de papel. Escribe: *Yo (nombre) ahora estoy preparado para liberar mi dolor y avanzar.* Luego escribe la fecha y firma con tu nombre. Una vez que has escrito este acuerdo, el cambio comienza. Deja de limitar tu vida de inmediato.

Pasos

1. Responde con honestidad a las siguientes preguntas:

- ¿Qué estás sintiendo?
- ¿Cuánto tiempo te has estado sintiendo de esta manera?
- ¿De qué se trata esto?
- ¿Estás preparado para liberarlo?

2. Escribe: *Yo (nombre) ahora estoy preparado para liberar mi dolor y avanzar.* Luego escribe la fecha y firma con tu nombre.
3. Haz un ejercicio de relajación en el siguiente capítulo.

La revisión de la vida de catorce días

Herramientas necesarias: Pluma, papel, deseo, honestidad, valentía.

Tiempo necesario: Quince minutos al día durante catorce días.

Resultados: Una visión general de los incidentes en tu vida que te han convertido en lo que eres ahora.

Recibí originalmente este ejercicio en forma intuitiva, cuando estaba aconsejando espiritualmente a una amiga, como una forma para que ella liberara algunos bloqueos y daños profundos. Posteriormente uno de mis amigos de Ghana, el hermano Ishmael Tetteh, me enseñó una versión más intensa de este mismo ejercicio. Su versión, llamada *Soul Processing*™ (Procesamiento del alma) se creó hace más de veinte años, y es una versión de mayor profundidad de esta enseñanza. De cualquier forma no se debe menospreciar lo que está en las siguientes páginas, sino más bien tener en cuenta que ninguno de los ejercicios de este libro son exclusivos. El Universo funciona a través de todos nosotros y a todos nos considera maestros.

Este ejercicio te da la oportunidad de identificar y revisar patrones que has repetido a través de toda tu vida.

Puedes llegar al núcleo de estas cuestiones en tu vida, en sesiones de catorce o quince minutos.

Divide tu edad entre siete. Si tienes veintiún años, esos son siete ciclos de tres años cada uno. Si tienes treinta y cinco, esos son siete ciclos de cinco años cada uno. Si tienes cincuenta y ocho, esos son siete ciclos de ocho años, con dos años agregados a tu último ciclo.

Después de que has dividido tu vida, comienza en el primer ciclo. En el primer día, ponte en un estado mental relajado. No necesariamente tienes que encontrarte en un estado meditativo. Sólo necesitas estar libre de distracciones y estar en un lugar donde puedas relajarte.

Permite que el primer ciclo de tu vida pase como si fuera una película. No trates de controlarlo. Durante ese tiempo surgirán los incidentes que han tenido un impacto en tu vida. Tal vez estés consciente de algunas cosas, como un accidente, o un pleito que hayas tenido con alguien. Pero hay otras cosas que pueden sorprenderte, como un pleito que tuvieron tus padres. Muchas personas asocian el dolor con las relaciones debido a lo que sus padres experimentaron y a lo que ellas observaron. Si tienen pleitos, tal vez vean las relaciones como una batalla. Y ese patrón pudo haberse fijado a la edad de seis años, no treinta y seis. Si tus padres se separaron, tal vez tengas una sensación de abandono y puedes salirte de cada relación que tengas, o atormentar a tu cónyuge para que se vaya, debido a lo que has observado.

Muchas de las cosas que se dijeron cuando eras joven han tenido un impacto en ti mucho mayor de lo que podría creerse, y es importante que te des cuenta de la fuente de tu dolor interior. Con frecuencia, la falta de dinero proviene de padres que te dicen que el dinero no crece en árboles. La falta de ambición proviene de maestros o padres que dicen que tú nunca harás nada de importancia. Estos bloqueos pueden removerse, pero es importante llegar a la fuente. Recuerda, ningún incidente es demasiado pequeño si recuerdas haber sido dañado por él.

Al dividir tu vida en ciclos, te sorprenderá la claridad de cada etapa. Tal vez encuentres que algunos ciclos fueron más estresantes que otros, que algunos fueron bastante irregulares, o la repetición de un ciclo pasado. Tal vez tengas que insistir para ver algunos de los ciclos debido a que aparecen en blanco. Eso sucede cuando hay una experiencia dolorosa que tal vez no quieras recordar. Date permiso para explorar con más profundidad en tu pasado. Por ejemplo, estás obteniendo un blanco total para las edades de los ocho a los catorce años. Tal vez recuerdes ligeramente ir a la oficina del director de la escuela, por un pleito cuando tenías doce años, pero eso es todo. Trata de pensar acerca de qué fue realmente lo que pasó. ¿Hubo algo que ocurriera en casa antes del pleito y después del pleito? Recuerda tu relación con tus padres, hermanos y tus amigos cercanos. Piensa acerca de la primera vez que tus padres te decepcionaron. ¿Cuándo fue la primera vez que te lastimaron en una relación? ¿Cuándo fue la primera vez que fallaste en algo que era importante para ti? ¿Cuándo fue la primera vez que te sentiste avergonzado? Las respuestas a muchos de estos incidentes estaban antes de que cumplieras catorce años. Muchas de las cosas que le dieron forma a tu vida adulta sucedieron en los primeros dos ciclos de tu vida.

Si tienes un problema para recordar un año, trata de recordar dónde estabas viviendo. ¿Quiénes eran tus amigos? ¿Qué recibiste para Navidad o para Hanukkah ese año? ¿Te hicieron una fiesta de cumpleaños? ¿Sentías una atracción por alguien? ¿Practicabas algún deporte? Si estabas en la escuela, ¿qué año estabas estudiando? ¿Quiénes eran tus maestros? Mientras llenas tu mente con los recuerdos, pregúntate: *¿Sucedió algo ese año que me haya lastimado, o que haya tenido un impacto negativo en mi vida?*

Para años posteriores, piensa acerca de dónde estabas trabajando o viviendo. ¿Con quién estabas saliendo o con quién estabas casado? ¿Quiénes eran tus amigos en ese momento? ¿Cómo usabas el cabello? Y sí, está bien hacer trampa, viendo fotografías o preguntándole a alguien, pero recuerda tu meta: encontrar incidentes que hayan tenido un impacto en tu vida de forma poco positiva.

Completar esa lista puede ser doloroso, pero podrás ver dónde comenzó un patrón, dónde comenzó un bloqueo. Éste es un ejercicio grandioso. Después de una semana serás capaz de ver qué incidentes le han dado forma a tu vida y eso es muy poderoso. Con sólo recordar estos incidentes, comenzarás a disminuir su poder. Tómate tu tiempo con esto. Dedica dos días para cada ciclo.

Una vez que hayas completado este ejercicio, estarás preparado para el ejercicio de *Liberación de la revisión de la vida de catorce días* en el siguiente capítulo.

Pasos

1. Divide tu vida en siete ciclos en base a tu edad.

2. Examina cada ciclo durante dos días y escribe los incidentes que te lastimaron, te hicieron enojar o que te afectaron en una forma negativa.
3. Pasa al ejercicio de *Liberación de la revisión de la vida de catorce días* en el siguiente capítulo.

Flujo libre

Herramientas necesarias: Pluma, papel, cronómetro.

Tiempo necesario: Quince minutos.

Resultados: Claridad sobre las cosas que suceden dentro de ti.

Todas las respuestas que requerimos están dentro de nosotros. Creo que no necesitas a un psiquiatra, a un psíquico o a un pastor para que te diga qué es lo que está mal en tu vida. Tú sabes qué está mal. Es sólo cuestión de querer admitirlo o no. Todos somos buenos para ocultar cosas en lo más profundo de nuestro ser. Cosas que no queremos recordar, ni enfrentar. En forma secreta sabes que si te enfrentas a ello, o más bien que cuando lo enfrentes, tendrás que estar preparado para resolverlo.

La ventaja de tener a un psiquiatra que trabaje contigo es que tienes a alguien que te ayuda a descubrir tus problemas mientras te sostiene la mano, y con quien puedes hablar acerca de tu situación. Al hacerlo con un pastor, cuando menos sabes que tienes a alguien orando contigo para tener el resultado perfecto. Por supuesto, un psíquico puede decirte cuánto durará o cuando menos te confirmará que lograrás superar esa experiencia traumática.

Todo eso es bueno, pero en este momento necesitas ayuda y si ninguna de estas personas está disponible, toma pluma y papel. Es tiempo de que te ayudes a ti mismo.

El flujo libre es un ejercicio que muchos escritores usan para hacer que fluyan sus jugos creativos, y en este caso lo vas a hacer para lograr que fluyan tus jugos espirituales. Requiere las respuestas escritas a tres afirmaciones. Debes escribir sin pensar o sin editar lo que escribes. Hazlo tan rápido como puedas. Al hacer esto permites que tus verdaderos sentimientos comiencen a surgir. Con demasiada frecuencia te impides admitir qué es lo que está mal, o mejor todavía, por qué está mal. Al permitir que tu mente y tu alma fluyan libremente no sólo llegas al núcleo del problema, sino que comienzas el proceso de liberación.

Cada pregunta ayuda a revelar una verdad más profunda acerca de quién eres realmente. Comienza seleccionando una afirmación de la Categoría I (ver pág. 92) que sea la que describa mejor dónde estás en este momento. Como observarás, las afirmaciones varían desde los buenos sentimientos, hasta los de miedo. Donde quiera que estés, hay sentimientos subyacentes que necesitan ser honrados o abordarse. Cuando te sientes bien, te sientes amado o exitoso, por debajo de eso generalmente hay sentimientos de valía, de felicidad o de gratitud.

Sin embargo, a veces hay miedos o resentimientos por debajo de lo que parece ser alegría y eso necesita ser abordado, así como los sentimientos de enojo, dolor o pobreza.

Después de seleccionar una afirmación, siéntate con tu pluma, papel y cronómetro. Fija tu cronómetro para contar cinco minutos, toma una respiración profunda y empieza a escribir. Comienza con una afirmación y continúa escribiendo cualquier cosa que te venga a la mente. Éste no es el momento para juzgar o editar lo que escribes. Puedes comenzar a escribir acerca de algo totalmente diferente y eso está bien. Deja que surja cualquier cosa que esté en tu mente. Cuando suene el cronómetro, detente. Si sientes que necesitar terminar una oración o un pensamiento, hazlo y no escribas más.

Luego ve a la Categoría II (ver pág. 93) Es importante saber cómo mejorar lo que va bien o cambiar lo que va mal. Esta sección te ayuda a abrir tu mente al cambio y al mejoramiento. Después de seleccionar una afirmación de la Categoría II, procede en la misma forma en la que lo hiciste para la primera afirmación. Deja que la verdad fluya a través de ti hasta que suene la campana.

La Categoría III (ver pág. 93) es la más difícil porque es en la que te comprometes contigo mismo a que realmente las cosas mejoren o que permanezcan como están, y es en la que logras hacer un cambio en tu conciencia, expresando cuatro palabras muy poderosas: "Yo estoy dispuesto a". Tu voluntad es importante. Decir que estás dispuesto a hacer algo es decir que te estás dando la oportunidad de crecer o cambiar. Ésta es una parte muy importante de estar empoderado, una disposición de ser lo mejor que puedes ser.

A muchas personas les gusta volver a vivir sus problemas una y otra vez. Yo digo, sabemos lo que está mal, ahora busquemos la bendición, la lección y la solución a la situación. Haces esto para adquirir un razonamiento que es racional y abstracto. Una vez más, cuando escribes libremente, te surgen ideas que tu mente lógica no hubiera permitido que surgieran. Este ejercicio puede ser la mejor cosa que te haya sucedido si se lo permites.

Una vez que hayas completado el ejercicio, no lo hagas a un lado, revísalo. Enfréntate al problema. Admite la solución. Sobre todo, confirma lo que estás dispuesto a hacer para producir lo que realmente quieres en tu vida. Comprométete con eso. Al leer regularmente lo que estás dispuesto a hacer, pondrás en marcha las ruedas del cambio. Comprométete ahora a ser lo mejor que puedes ser.

Categoría I

Las cosas van muy bien ahora, pero

La mejor cosa/persona en mi vida es

Acabo de comprar un _____ y

Lo que está mal en mi vida es

A mi vida le falta

Lo que está mal en mi trabajo es

Mi carrera está estancada o muerta porque

Estoy enamorado y

El problema con mis finanzas es

Lo que está mal en mi relación es

Mi mayor problema en el hogar es

Mi matrimonio está en dificultades porque

El problema de mi familia es

No puedo lograr hacer cosas porque

Tengo dolor porque

Estoy celoso porque

Estoy preocupado porque

Esto no funcionará para mí porque

Estoy en la bancarrota porque

Me siento indefenso porque

Estoy enojado porque

Mi cuerpo siente dolor porque

Estoy deprimido porque

Si pudiera cambiar una cosa acerca de mí sería

Categoría II

Si pudiera cambiar esta situación, yo lo haría por medio de

Si pudiera cambiar la forma en la que respondí a esta situación, yo habría

Si mágicamente pudiera cambiar a esta persona, yo lo haría por medio de

Si pudiera cambiarme, yo

Si pudiera comenzar de nuevo, yo

Categoría III

Para producir un cambio, yo estoy dispuesto a

Para mantener la paz/el orden/el amor en mi vida, yo estoy dispuesto a

Para experimentar la felicidad, yo estoy dispuesto a

Para obtener equilibrio en mi vida, yo estoy dispuesto a

Para manifestar amor en mi vida, yo estoy dispuesto a

Para mantener la abundancia en mi vida, yo estoy dispuesto a

Pasos

1. Selecciona una afirmación de la Categoría I que tenga que ver con el lugar en el que te encuentras actualmente en tu vida.
2. Fija tu cronómetro para cinco minutos.
3. Escribe tan rápido como puedas cualquier cosa que te venga a la mente y no te detengas sino hasta que suene el cronómetro.
4. Selecciona una afirmación de la Categoría II que se aplique a la afirmación que seleccionaste de la Categoría I.
5. Repite los pasos dos y tres.
6. Selecciona una afirmación de la Categoría III.
7. Repite los pasos dos y tres.
8. Actúa según tus respuestas a la Categoría III.

PARTE CUATRO

LIBERA LOS BLOQUEOS A TUS BENDICIONES

LIMPIAR EL CAMINO

Tienes que dejar ir lo que no quieres, para hacerle espacio a lo que sí quieres.

Para empoderarte debes estar dispuesto a dejar ir el fango en tu vida, y a reemplazarlo con bendiciones. Es mucho más fácil de lo que crees. Comprometerse con el empoderamiento es el primer paso y es la razón por las que estás aquí.

Cuando liberas, dejar ir a una persona, lugar o situación en su etapa actual. Tal vez quieras liberar a una persona que es codependiente, abusiva, o a quien sencillamente has superado. Tal vez se trate de una situación en el hogar o en el trabajo que ya no puedes manejar o que decidiste ya no manejar. Tal vez sea una idea, una emoción o un hábito que ya no está funcionando para tu crecimiento. En otras ocasiones, puede ser un deseo para liberar el miedo de que no durarán los beneficios en tu vida.

Sin importar la razón te felicito por encontrarte en este punto de tu vida en el que estás preparado para crecer. En este momento, estás preparado para dar un salto hacia adelante, hacia tu mejoramiento, la esencia completa de quien tú eres realmente.

Algunas cosas, personas o situaciones pueden requerir un poco más de tiempo para dejarlas ir y no digo esto para desalentarte. Te lo digo para animarte. Si has estado en una mala relación durante diez años, podría tomar más de una sesión de liberación que dure quince minutos para dejar ir a esa persona y aquello que pensabas que representaba en tu vida. Por otra parte, si mentalmente estás preparado, ¡tal vez todo lo que necesites sea una sesión!

La mayoría de las técnicas de las que hablo en las siguientes páginas deberían hacerse cuando menos tres veces. Con mucha frecuencia es probable que te sientas completo cuando hayas realizado un proceso, pero la situación anterior regresa a escondidas. Piensa en eso como si tu Yo Superior te estuviera probando para ver si eres serio. A veces no lo eres, en especial cuando se trata de relaciones. Probablemente pienses que quieres terminar, pero en el fondo tienes miedo de que si dejas ir a esa persona tal vez esté mejor sin ti. Él o ella tal vez avance y se vuelva más próspera, encuentre a otra persona y viva feliz por siempre y tú estarás solo. Pero ésa no es la forma en la que tu Mente Superior funciona. Cuando liberas aquello que no está funcionando obtienes una bendición. La bendición puede llegar en muchas formas. Liberar a un hombre o a una mujer de tu vida no significa que conocerás a uno nuevo al día siguiente. Un amigo mío, Gary, estuvo casado durante diez años, el matrimonio no estaba funcionando, ni con asesorías, retiros matrimoniales, ni tratando todo bajo el sol. Él y su esposa decidieron liberarse de su compromiso conocido como matrimonio. Él realmente quedó destrozado por el proceso. Su vida no había estado funcionando bien durante los últimos dos años. Él no podía encontrar trabajo, su esposa había tomado el examen de la Barra de Abogados tres veces y no lo había pasado. Le pedí que hiciera un Quemado, (que describo en este capítulo) librando su matrimonio y las diferentes experiencias provenientes de él. Curiosamente, una semana después encontró trabajo. Su enojo hacia el fracaso de su matrimonio había disminuido y su visión general de la vida era mejor. Su esposa también aprobó el examen de la Barra de Abogados la siguiente vez que lo presentó. Esto demuestra que a veces estás reteniendo a una persona y le impides que alcance sus beneficios, aunque no sea intencional.

Cuando estás enojado con una persona tus pensamientos pueden causar una confusión en su vida y en la tuya; eso no es algo bueno. Lo que es incluso peor es que la energía de las otras personas, en especial el enojo, también pueden producir un efecto de bola de nieve de malas situaciones en tu vida. Ésta es la razón por la cual es importante hacer ejercicios de liberación y de limpieza con regularidad, de manera que no lleves contigo ningún resentimiento residual para tu propia seguridad y para la seguridad de aquellos que están a tu alrededor. Me gusta hacer un ejercicio de liberación cuando menos una vez al mes, por lo general al final del mes. Pero debo admitir que hay ocasiones en las que no puedo esperar. Aunque soy un Ministro, sigo siendo humano. Sigo cometiendo errores, me sigo enojando. Recibo multas de tráfico. Incluso no me han tomado en cuenta para un trabajo que yo sabía que era mío. O que mi ego me hizo creerlo así. Sin embargo, siendo un individuo empoderado, en lugar de mantener mi resentimiento, tomo una pluma y papel y saco todo mi enojo, mi daño y mi desaliento. Mientras libero, puedo sentir la esencia de lo que está por delante, acercándose a mí y a través de mí. Recuerda que no se te da ninguna situación que no puedas manejar. Perder un trabajo, tu hogar, o incluso un ser amado, no es el fin del mundo, aunque así pueda parecerlo en ese momento y durante mucho tiempo. Piensa por un momento. Estoy segura de que has tenido una situación en tu vida en la que pensaste que nunca podrías superarla, pero lo hiciste. A veces es importante tener claro qué tan lejos has llegado. Si sigues aquí, tienes un trabajo por hacer y tal vez Dios tuvo que liberarte de ese trabajo, de ese hogar o separarte de tu ser querido para captar tu atención. A veces la vida es así. Nuestro corazón tiene que dolernos antes de que estemos preparados para aceptar nuestras bendiciones. Tenía una amiga, Paula, que quería mudarse, pero que lo había pospuesto durante años. Una amiga mutua, que era psíquica le dijo que se mudara, pero ella siguió sin prestar atención; sencillamente ella no estaba preparada. Mudarse significaba reorganizar su vida, dejar ir los recuerdos y entrar a una experiencia nueva que no había probado. Se le habían ofrecido trabajos en otras ciudades, pero ¡ay no!, ella no quería mudarse. Ella sabría cuándo sería el momento oportuno. Un día mientras ella había salido para divertirse, se produjo un incendio en un jardín cercano que no sólo alcanzó su hogar, sino los hogares de muchas otras personas. Ahora ella no tiene hogar. Los recuerdos que ella quería conservar, ¡ahora se encontraban localizados en su mente! Sus experiencias a partir de ahí en adelante iban a ser nuevas. A ella se le habían dado más de tres oportunidades para avanzar. Realmente creo que el Espíritu nos da advertencias antes de que se nos obligue a entrar a nuestro futuro. Sabes que has superado tu trabajo y sin embargo, no buscas un trabajo que sea de tu altura. Comienzas a ser bombardeado con trabajo adicional y por lo general las personas comienzan a criticar tu trabajo; sin embargo, aprietas los dientes y lo aceptas. Lo que sucederá a continuación es que te enfermarás, pero no ves esto como un signo de tu cuerpo para dejar esas ocupaciones. Luego, de buenas a primeras, te despiden por no poder realizar tu trabajo y el trabajo adicional que te dieron mientras estabas enfermo y te preguntas la razón. ¿Captas lo que quiero decir? Por lo general yo sé cuando es tiempo de avanzar, pero tú no. La liberación te ayuda a facilitar las situaciones antes de que te estallen en la cara. Convoca al Orden Divino, la forma más elevada de orden. También te da espacio en el templo de tu cuerpo para el cambio muy necesario que quieres crear. Ve tu cuerpo como una casa con muchas habitaciones. Estas habitaciones contienen tus experiencias en la vida, algunas buenas, algunas malas. Ve esto como la ocasión para hacer una limpieza de primavera. ¿A qué te estás aferrando que no está haciendo que avances? ¿Se trata de fumar? ¿Se trata de beber excesivamente? ¿Se trata de sentir culpabilidad? ¿De una relación que está muerta? ¿De un trabajo sin terminar? ¿De miedo? ¿De enojo? ¿De amigos que te mantienen sometido? ¿Sigues enojado con tu madre y con tu padre por la forma en que te criaron o por algo que hicieron o que no hicieron? ¿Te sientes bloqueado? Sin importar lo que trates de hacer, nada parece funcionar. Sabes que hay algo en el camino, pero no puedes averiguar lo que es y no puedes hacer que se mueva. Es el momento de LIBERAR.

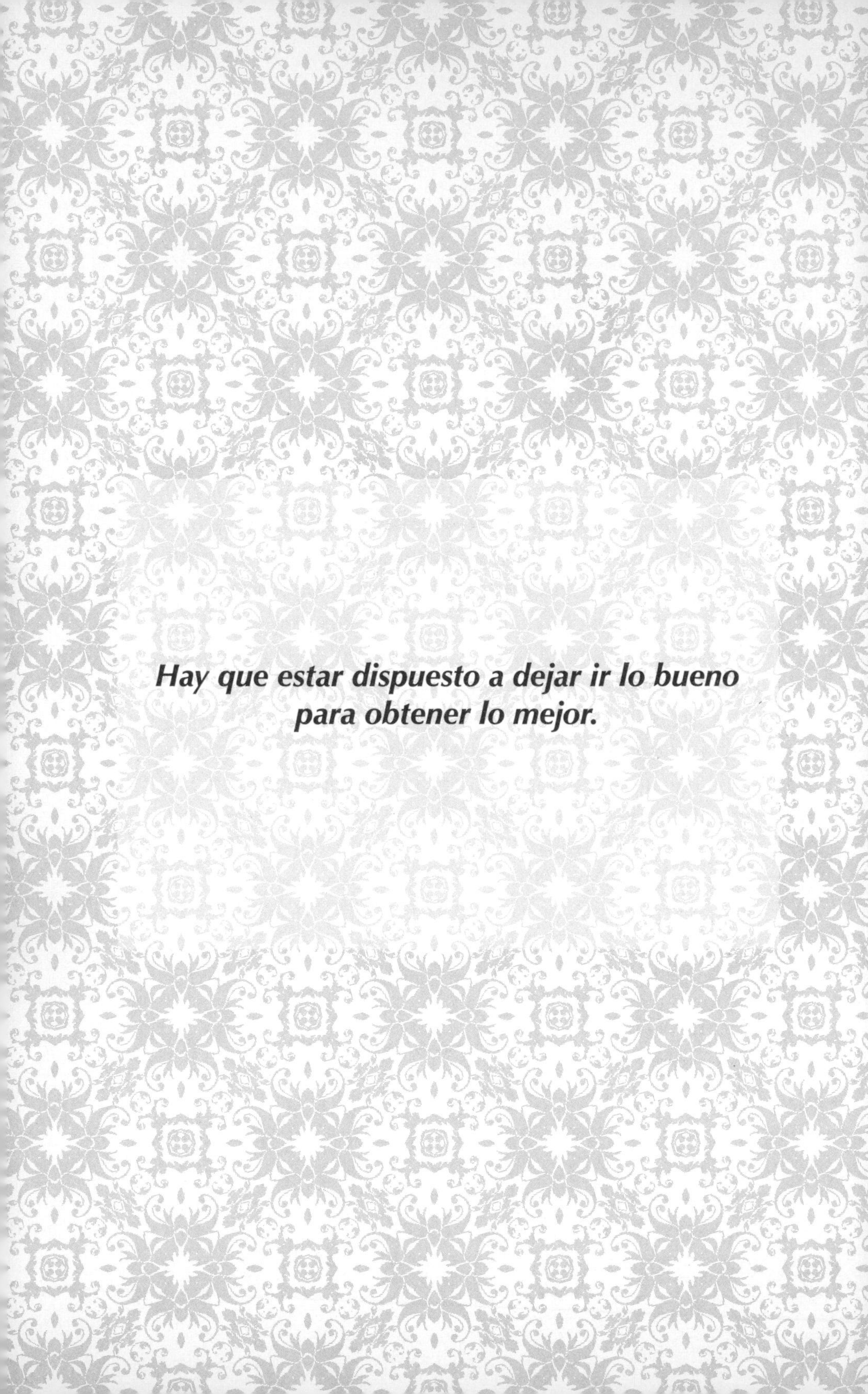

Hay que estar dispuesto a dejar ir lo bueno para obtener lo mejor.

EJERCICIOS DE LIBERACIÓN

Quemado

Herramientas necesarias: Pluma, papel, cerillos, algo en lo cual quemar papel, deseo, honestidad.

Tiempo necesario: Quince minutos.

Resultados: Libertad con respecto a personas, lugares o situaciones que te están obstaculizando.

En la parte superior de tu papel escribe lo siguiente:

Yo (nombre) libero a las siguientes personas, lugares, situaciones y emociones de mi vida y mi vibración.

Ahora comienza escribir en detalle acerca de lo que te duele. Si estás enojado con alguien, entra realmente en el porqué. Escribe acerca del incidente con detenimiento. Ya sea que se trate de que olvidaran tu cumpleaños, que te hayan avergonzado frente a tus amigos, te hayan pedido algo prestado y no te lo hayan regresado, o te hayan lastimado físicamente. Escríbelo, ¡sácalo de ti!

Si se trata de un lugar, escribe su nombre o su ubicación, ¿Por qué este lugar tiene un efecto sobre ti? ¿Te cobraron en exceso? ¿Te faltaron al respeto? ¿Te despidieron? ¿Cómo te hace sentir este lugar? ¿Hay alguien o hubo alguien ahí que sencillamente te provocó escalofríos? Escríbelo.

Las emociones que necesitan liberarse por lo general son los miedos. Libera tu miedo a la pobreza y por qué te sucede. Libera tu miedo al éxito. Incluso puede incluirse un miedo a las alturas, al amor o a las serpientes. Escribe acerca de tus miedos. ¿Cuánto tiempo los has tenido? ¿Cuándo comenzaron? Si un incidente en particular te hizo que le tuvieras miedo a las montañas rusas, escribe acerca de ello; es tiempo de dejarlo ir.

Libera viejos patrones que ya no te sirven. Libera tu sarcasmo, tu necesidad de atiborrarte, fumar o robar. Libera tu necesidad de dormir con hombres o mujeres a quienes no amas, o con quienes no quieres tener una relación seria. Simplemente escríbelo.

Es importante que no edites lo que escribes o juzgues tus sentimientos mientras realizas este ejercicio. Solo tú verás lo que escribes. Nadie va a beneficiarse de ello más que tú. De hecho, eso no es cierto. Cambia una cosa acerca de ti y tu mundo entero cambiará. La gente puede responder y responderá a ti en forma diferente cuando llevas menos equipaje. Cuando liberas a una persona, a veces por primera vez, puedes verla por lo que realmente es y ella puede verte también así. Cuando liberas un viejo trabajo, te abres para que surjan las nuevas oportunidades. Cuando liberas tu vieja forma de tratar tus relaciones, mejoran todas tus relaciones.

Lo que es grandioso acerca de este ejercicio es la liberación de saber que desapareció de tu vida algo que te estaba reteniendo. ¿Quién serías sin tener miedo a las serpientes? ¡Serías una mejor persona! No importa si lo has llevado contigo de vida en vida, desde los tiempos cuando el faraón te arrojó a un hoyo de serpientes para que murieras, porque insististe en realizar un hecho heroico. Al liberar el miedo a las serpientes, también liberaste la bendición que el miedo estaba bloqueando. Desde esa vida, cuando el faraón te arrojó al hoyo, no sólo les tienes miedo a las serpientes, sino que tampoco has realizado ningún hecho heroico por miedo a las consecuencias. Al liberar el miedo no sólo te liberas de las serpientes, sino que estás libre para ser un héroe de nuevo. ¡Un héroe en tu vida! Libera el bloqueo, permite la bendición.

Cuando hayas terminado, escribe la siguiente afirmación al final:

Estas personas, lugares y situaciones me han afectado en el pasado, pero ya no más. Las perdono y las libero en la luz y el amor. Las reemplazo con amor, paz, alegría y prosperidad. Gracias, Dios, Espíritu Divino, Inteligencia Infinita, etc. (firma con tu nombre).

Este siguiente paso es la parte divertida para mí y espero que lo sea para ti. Necesitas algo que sea seguro para que puedas quemar papel. Puede ser un recipiente para hornear recubierto con papel aluminio, una olla, un asador portátil. Esto puede hacerse en el interior o en el exterior. Si decides hacerlo en el exterior, ten cuidado de no ocasionar un incendio en los arbustos. ¡Han sucedido cosas más extrañas! Párate junto al recipiente para el quemado con tu(s) hoja(s) y recita con pasión y furia la última afirmación del cierre. *Estas personas, lugares y situaciones me han afectado en el pasado, pero ya no más. Las perdono y las libero en la luz y el amor. Las reemplazo con amor, paz, alegría y prosperidad.* Luego rompe tus hojas de papel en un tamaño mediano o pequeño. Toma tus cerillos y enciende unos cuantos pedazos de papel y colócalos en el recipiente; luego continúa agregando más papel hasta que haya desaparecido todo tu equipaje. Ahora, debo hacerte una advertencia, tu fuego puede tratar de apagarse, así que continúa encendiéndolo. Asegúrate de que cada trozo de papel se queme hasta que se haga cenizas.

Muchas veces tus miedos y bloqueos están cómodos contigo. Este quemado está haciéndoles saber que ya no sirven a tus necesidades. Tu fuego puede apagarse o tener una especie de erupción. El teléfono sonará. Te quemarás los dedos, ¡pero debes continuar! Éste es un momento para que ganes. ¡Quémalo, nene!

Cuando el último trozo de papel se haya convertido en cenizas, di: *Gracias, Dios.* Entonces, siéntate por un momento y permítete llenarte del amor, la paz, la alegría y la prosperidad que mereces. Te sentirás en paz. Es una sensación maravillosa el saber que estás libre de algo o de alguien.

Tal vez este proceso necesite repetirse, dependiendo de las circunstancias. A veces cuando estás liberando a alguien, se requiere tiempo para sacarlo de tu sistema. Lo que he encontrado es que cada vez que escribo mis sentimientos, éstos disminuyen. Esto se debe a que cada vez que hago el proceso estoy liberando otra parte de esa persona o situación. Verás que tú tal vez ni siquiera recuerdes qué fue lo que escribiste antes. Pueden surgir cosas nuevas porque removiste una capa de basura. Incluso puedes encontrar que perdonas a esa persona. Eso es bueno, ¡pero de todas maneras tienes que quemarlos!

El paso final es desechar las cenizas. Esto puede hacerse de dos maneras. Puedes tirarlas por la taza del baño, o las

puedes poner en una bolsa y arrojarlas lejos de tu hogar. A algunas personas les gusta enterrarlas. No soy una gran partidaria de eso. Para mí, ya estaban enterradas dentro de ti, ahora es tiempo de liberarlas.

Pasos

1. Escribe lo que quieres liberar. En la parte superior de la hoja escribe: *Yo (nombre) libero a las siguientes personas, lugares, situaciones y emociones de mi vida y mi vibración.*
2. Escribe en la parte inferior: *Estas personas, lugares y situaciones me han afectado en el pasado, pero ya no más. Las perdono y las libero en la luz y el amor. Las reemplazo con amor, paz, alegría y prosperidad.*
3. Di en voz alta: *Estas personas, lugares y situaciones me han afectado en el pasado, pero ya no más. Las perdono y las libero en la luz y el amor. Las reemplazo con amor, paz, alegría y prosperidad. Gracias, Dios.*
4. Rompe tus papeles.
5. Quémalos por completo.
6. Reabastécete con amor, paz, alegría y prosperidad.
7. Desecha las cenizas.

La rosa

Herramientas necesarias: Imaginación.

Tiempo necesario: Quince minutos.

Resultados: Libertad con respecto a personas, lugares o situaciones que te están molestando.

La técnica de la rosa me la enseñó uno de mis maestros espirituales, Gunter Benz, en Los Ángeles, y produce una satisfacción instantánea. Es el tipo de ejercicio que puede hacer cualquier persona en cualquier parte, y en cualquier momento.

Una rosa representa pureza. Cuando ubicas algo o a alguien en un rosa significa que los estás identificando con la pureza. Si hay una persona, espacio o situación que necesita ser liberado haz lo siguiente:

Digamos que se trata de una persona. Visualiza a esa persona en una rosa imaginaria. Cierra la rosa, di: "Te libero a tu forma más pura". ¡Haz explotar la rosa! Suena simple porque es sencillo y no es negativo. La estás haciendo explotar hacia la pureza, a su forma más elevada. En esencia la estás soltando. Hacer explotar algo es la manera más rápida de liberar. Cuando has permitido que alguien o algo te moleste hasta el punto en que ya no eres el ser de siempre, dulce, espiritual, que naciste para ser, sino una persona malévola, que hecha humo por el enojo y el resentimiento, deberías obtener una gran alegría por la liberación de la energía que te está impidiendo que te apoyes en tu verdad.

Esta técnica también puede usarse para liberar un lugar, como una compañía telefónica u otra instalación que brinda servicios al cliente. Visualiza el lugar en la rosa. Cierra la rosa y di: "Te libero a tu forma más pura". Siéntete con la libertad de traer a un equipo de demolición para hacer explotar la rosa. ¿Cuál es la forma más pura que podrías pedir de la compañía telefónica? Es una compañía que brinda servicios y te permite comunicarte libremente con otros. Está ahí para servirte. Cuando no lo hace bien, ¡hazla explotar! Libera el poder que le has dado sobre la forma en la que te comunicas.

Si se trata de una dolencia, vela escrita en una hoja de papel o en una pancarta y colócala en una rosa. Comienza a disminuir el poder de un resfriado, de un tumor, o incluso del cáncer y reclama el templo de tu cuerpo como algo pleno y saludable.

Cuando liberas a una persona, en especial de una relación amorosa, tal vez sea necesario que repitas esta técnica cada día o tres veces al día, debido a que la persona puede estar siempre en tu mente. Hacerla explotar no la lastima; te libera. Haz explotar la parte interna que te molesta. Ya sea que se trate de su ego, su enojo, sus celos, su rudeza o su falta de amor y comprensión hacia ti. Hazla explotar hasta que te sientas mejor. Porque el sentirte mejor significa que ya no estás unido a la emoción que esa persona representa en tu vida. Cuando esa emoción desaparece, puedes comenzar a ver la verdad acerca de la situación y puede surgir la bendición.

Liberar una relación no significa que nunca regresará. Significa que estás dispuesto a dejar que se vaya de manera que puedas experimentar el Orden Divino.

Al seleccionar un color para tu rosa, no uses el negro, ni el café, ni otro color sucio. Los mejores colores son el blanco, el rosa, el dorado, el verde o el azul. Todos ellos representan la pureza. El blanco es la forma más pura, el rosa es el amor, el dorado simboliza la luz del espíritu, el verde representa la sanación y el azul corresponde a la claridad.

Pasos

1. Selecciona a la persona, el lugar o la situación que quieres liberar.
2. Colócala en la rosa imaginaria.
3. Cierra la rosa.
4. Di: "Te libero a tu forma más pura".
5. Haz explotar la rosa.

Expansión en la naturaleza

Herramientas necesarias: Papel, lápiz o pluma.

Tiempo necesario: Quince minutos.

Resultados: Libertad con respecto a lo que hay en tu mente.

Hay un momento en el que la sola acción de conectarse con la naturaleza, causará un cambio en tu campo de energía. ¿Alguna vez has notado lo bien que te sientes después de dar un paseo en la playa, en un parque o en una montaña? La naturaleza tiene una forma para tranquilizar tu alma.

La naturaleza es vida. Con mucha frecuencia estás demasiado ocupado, interactuando con tu propia vida como para recordar la grandeza que Dios te ha dado, libre de estrés.

La naturaleza es vibrante. Prospera esencialmente sin tu ayuda. ¿En alguna ocasión has oído a un árbol pidiendo comida? ¿El océano necesita que lo lleven de viaje en alguna ocasión? ¿Las rocas necesitan terapia? Estos seres han existido sin nosotros desde el principio de los tiempos y existirán mucho tiempo después de que tú y yo nos hayamos ido. La naturaleza es poderosa. Has visto los desastres naturales, así como también las maravillas naturales del mundo. De lo que tal vez no te des cuenta es de que la naturaleza tiene el poder de ayudarte y guiarte si se lo pides. La Madre Naturaleza ha llevado muchas cargas y ha escuchado muchas oraciones. Así como el aire absorbe el agua, ella también tiene el poder de absorber, transformar y hacer desaparecer aquello en tu interior que está evitando que recibas tus beneficios. Sólo necesitas pedirlo.

Como preparación para hablarle a la Madre Naturaleza, es importante comprender las bases. Considera si es de noche, si hace frío, si el suelo está rocoso, arenoso o húmedo, asegúrate de llevar la ropa adecuada. Esta experiencia es acerca de sentirse tan cómodo como sea posible. Ten en cuenta que vas a realizar una liberación y la terminación de cosas en tu vida. Asegúrate de tener una libreta de notas y una pluma para escribir. Tal vez recibas alguna guía o respuestas a lo que tu mente y tú quieren recordar. Te sugiero ir durante un tiempo en calma. No hay nada peor que estar en el parque, el sábado a las tres de la tarde, cuando hace calor, ¡y todos quieren divertirse! Si quieres privacidad. Si sientes que es seguro, trata al amanecer o en la tarde, o busca una área retirada donde puedas estar solo. Seguro quieres poder hablar, discutir o llorar en paz, no estar rodeado por un grupo de niños que construyen castillos de arena.

Siéntate y relájate cuando llegues a donde vas. Toma unas cuantas respiraciones profundas y permítete absorber el ambiente de tu alrededor. Mientras lo haces tal vez sientas un cosquilleo en tu cuerpo; eso es algo natural, te estás uniendo con la naturaleza. Una vez que estés relajado, comienza a hablar. Di cualquier cosa que tengas en la mente. Ya sea que se trate de una alabanza o de un dolor, habla acerca de ello. No trates de hablar en voz alta, pero tampoco tienes que susurrar, sólo habla desde tu corazón. Si tienes una dolencia, habla al respecto. Si tienes un problema con tu trabajo o con un ser amado... habla al respecto. Si estás en un cruce de caminos en tu vida y no estás seguro de cuál camino seguir..., coméntaselo a la Madre Naturaleza.

No hay necesidad de hacer cambios o de contener las lágrimas. Al hablar en voz alta sobre tu vida y sobre tus preocupaciones, estás sacándolas del templo de tu cuerpo y las estás enviando al Universo. La Madre Naturaleza sólo puede ayudarte cuando es claro para ella qué es lo que quieres. Sí, me doy cuenta de que tal vez no lo sepas, pero hablar al respecto ayudará a producir claridad. Si has dicho tu opinión, guarda silencio de nuevo. Toma tres o cuatro respiraciones profundas y sólo escucha. Oye lo que está a tu alrededor y lo que está dentro de ti. Con mucha frecuencia, en este momento, recibirás discernimiento y respuestas a tus preocupaciones y preguntas. La voz que oyes puede ser la tuya propia, la de un ser amado, o la de un ángel. Simplemente óyelos. Escribe lo que digan, si así decides hacerlo. Puedes obtener discernimiento, respuestas, poemas, o el silencio. Lo que oyes es lo que necesitas oír y la clave es no forzarlo. Si al principio no oyes nada, está bien. Permítete estar presente justo donde estás. La meta es que tú liberes. Al liberar haces espacio para que surjan las respuestas. No hay un horario sobre cómo responde el Universo, pero el Universo siempre está a tiempo.

La siguiente parte de este ejercicio es muy simple, y sin embargo poderosa y no debe omitirse. Mientras te sientas en silencio da una respiración profunda y sostenla hasta la cuenta de cuatro.

Mientras exhalas imagina tu alma expandiéndose diez veces su tamaño actual. Da otra respiración profunda. En está ocasión, cuando exhales, imagina que tu alma nuevamente se expande diez veces su tamaño. Toma otra respiración profunda. En está ocasión cuando exhales ve que tu alma se expande cien veces su nuevo tamaño. Repite este proceso expandiendo tú alma mil veces, luego diez mil veces y luego un millón de veces más de lo que es. ¿Cómo se siente tener un tamaño más grande, de mayor extensión? La verdad es que, a los ojos del Universo, eres más grande que eso; sencillamente piensas que eres más pequeño, y así lo eres. En este estado eres más poderoso de lo que puedes imaginarte. No hay nada que pueda dañarte, no hay dolencias que no puedas curar. No hay problemas que no puedas resolver. Cuando expandes tu alma, ¿tus problemas y tus preocupaciones parecen pequeños? Los son, porque son pequeños a los ojos de Dios. Son importantes para ti en este momento, pero son insignificantes. Al permitirte ser grande, todo lo que se relaciona contigo se vuelve más pequeño y más manejable. Incluso si no puedes verte siendo más grande al hacer esta parte del ejercicio, de cualquier manera el tener la intensión expande tu alma. Cada vez que repites este ejercicio o esta parte del ejercicio, tu alma se expande y se vuelve mayor y más poderosa. ¡Qué sensación tan increíble el saber que espiritualmente eres mayor, mejor y más poderoso que la persona que ves en el espejo! Eres una gran parte de la naturaleza del Universo y todos trabajamos juntos para producir la paz y la armonía en el planeta.

Cuando hayas terminado dale las gracias a la Madre Naturaleza por su grandeza, por escucharnos y por saber que ella siempre está ahí para ti.

Pasos:

1. Da un paseo en uno de los muchos espacios de la naturaleza.
2. Ponte cómodo. Toma unas cuantas respiraciones profundas y relájate.
3. Di lo que piensas.
4. Toma tres o cuatro respiraciones profundas y guarda silencio. Escucha. Permite que la naturaleza te responda.
5. Haz una respiración profunda y contenla mientras cuentas hasta cuatro. Mientras exhalas imagina que tu alma se expande diez veces respecto a su tamaño actual.
6. Repite cuatro veces el paso cinco. Expande tu alma cien veces, mil veces, diez mil veces y un millón de veces su tamaño actual.
7. Agradece a la Madre Naturaleza.

La liberación de la revisión de la vida de catorce días

Herramientas necesarias: Lista de los sucesos del "Ejercicio de la revisión de la vida de catorce días", valentía.

Tiempo necesario: Quince minutos al día durante catorce días.

Resultados: Libertad respecto a los patrones, las experiencias negativas y los ciclos en tu vida.

Para tener éxito en este ejercicio es importante completar la primera parte que se encuentra en el capítulo anterior. Si este ejercicio se hace correctamente, se producirán resultados profundos en la liberación de tu pasado. Una vez que sepas qué incidentes en tu vida te han afectado, has recorrido la mitad del camino. A partir de este punto estás en el camino de la recuperación.

Ponte en un estado meditativo o en un estado muy relajado. Toma el primer incidente en tu vida que te haya afectado y pasa por tu mente el video del suceso. Pregúntale a tu mente superior: ¿De qué se trata realmente este incidente? Muchas veces se toma el incidente por su valor aparente. Una discusión, un impedimento o incluso una situación trágica como una violación o un asesinato, con frecuencia se ve sólo como una desgracia o como una injusticia, pero no te detengas ahí. Siempre hay una razón más profunda por la que algo te ha sucedido o ha sucedido cerca de ti y eso no siempre es negativo. Eso puede infundir ciertas cualidades en ti, o posiblemente despierte al gigante que llevas dentro para lograr algo extraordinario. A veces cuando alguien cercano a ti muere, tú y a veces toda la sociedad tienen más por aprender de su muerte que de su vida. Un ejemplo de esto es cuando se encuentra la cura para una enfermedad o cuando una ley se aprueba debido a que alguien ha perdido la vida.

Hay una gran verdad en el dicho de que lo que no te mata te hace más fuerte. Pero tienes que estar dispuesto a ver cada evento en tu vida como una oportunidad para crecer y adquirir una mayor conciencia de quién eres y de qué es lo que debes hacer aquí. Tal vez no parezca probable en ese momento o incluso durante semanas, meses o años, pero llegará un día en el que estés listo para desechar tu dolor y avanzar. Esperamos que ese momento sea ahora.

Una vez que sabes lo que determinado suceso representa, si hay otra persona involucrada, cuestiónate: "¿Por qué fuimos elegidos?", "¿Qué es aquello por lo que esa persona está atravesando en ese momento?". Muchas veces la intención de una persona no era la de lastimarte, sino que estaba pasando por sus propias dificultades y tú estabas atrapado en ellas. Habla con esa persona. Dile cómo hizo que te sintieras. Pregúntate: ¿Cuál fue *mi* lección aquí?, ¿Por qué fue ella la elegida para involucrarse en esto? El siguiente paso es muy importante y doloroso. Debes abrazar a la persona y perdonarla. Sí, sostenerla en tus brazos y perdonarla. También debes perdonarte. Mírate en esa edad y abrázate y perdónate. Toma tanto tiempo como sea necesario en esta parte porque es crucial para todo el ejercicio.

Una vez que te has perdonado, y has perdonado a la persona involucrada, rodéala con luz rosada, la esencia del amor. Envíale amor y envíate amor. Continúa enviando la vibración del amor hasta que sientas que el amor ha regresado a ti. No puedes enviar amor sin recuperarlo para ti. Si no estás sintiendo que el amor regresa a ti, continúa enviándolo hasta que lo sientas. Si después de un rato sigues sin sentirlo, pregúntate si realmente perdonaste a esta persona o esta situación. Si no lo hiciste, regresa y comienza nuevamente el ejercicio.

Después de que la vibración del amor llene el incidente y sientas que el amor ha regresado, camina para retirarte en paz. Tu caminata para alejarte indica que lo has dejado ir. Si tienes cualquier problema con algún aspecto de este ejercicio debes repetirlo.

Este ejerció puede ser muy extenuante, así que no trates de realizarlo en forma excesiva. Haz solamente un máximo de dos incidentes por sesión, espera distracciones. El teléfono sonará. Tu estómago dolerá. E incluso puedes dormirte. No permitas que estas cosas te lo impidan. Persiste en ello. Cuando confrontas situaciones en tu vida, éstas pierden su poder. Cuando perdonas a alguien y lo amas a pesar de lo que pudiera haberte hecho, te has empoderado y ya no tienen control sobre ti. No hay poderes más fuertes que el poder del amor y el poder del perdón.

Pasos

1. Revisa el ciclo de tu vida en el que vas a trabajar.

2. Ponte en un estado meditativo.
3. Toma el primer incidente en el que vas a trabajar. Pasa la cinta por tu mente.
4. Hazte las siguientes preguntas:
   - ¿De qué se trataba realmente este incidente?
   - ¿A quién necesito perdonar y por qué?
   - ¿Qué era aquello por lo que esa persona pasaba en ese momento?
   - ¿Cuál fue mi lección aquí?
   - ¿Por qué se escogió a esta persona para que estuviera en este evento?
5. Habla con la persona, dile cómo te afectó.
6. Abraza a la persona y abrázate.
7. Perdona a esa persona, a esa situación y a ti mismo.
8. Rodea a la persona o a la situación con una vibración de amor rosa.
9. Continúa haciendo esto hasta que sientas que la vibración del amor ha regresado a ti.
10. Camina para retirarte en paz.

La burbuja

Herramientas necesarias: Imaginación

Tiempo necesario: Quince minutos.

Resultados: Liberar las preocupaciones y la gente que está en tu mente.

La técnica de la burbuja es otra técnica simple que ha tenido muchas variaciones a través de los años con respecto al tamaño, forma o color, pero los resultados son los mismos. Me gusta la técnica de la rosa, se puede hacer en cualquier parte, aunque se usa mejor para liberar personas, preocupaciones, metas y deseos.

El proceso de la burbuja es simple. Debes concentrarte en la preocupación, la persona o la meta que está en tu mente. Si se trata de una meta, sé muy claro sobre el resultado que deseas. Si quieres un trabajo nuevo y no eres específico, es posible que te ofrezcan un trabajo como cocinero en el restaurante local de comida rápida, cuando lo que realmente deseabas era ser vicepresidente de un banco. Si no conoces el titulo, sé claro acerca de las responsabilidades que quieres. Si estás pidiendo más dinero, una vez más el resultado podría ser que recibieras un dólar más de lo que tienes ahora, cuando en esencia lo

que realmente quieres es dinero suficiente para pagarle a una persona o para adquirir una cosa en particular, y a la larga contar con una libertad financiera. Si se trata de una persona, colócala cómodamente en una burbuja. Llena la burbuja imaginaria con uno de los siguientes colores:

Rosa	Amor o una relación amorosa.
Verde	Dinero o sanación.
Amarillo	Metas y creatividad.
Azul	Claridad o paz.
Púrpura	Asuntos espirituales, orientación.
Blanco	Pureza, Orden Divino.

Ahora, no estás tratando de ahogar ni a una persona, ni a un deseo en un color en particular. Simplemente estás llenando la burbuja con ese color. Una vez que lo hayas hecho di: *Te lleno con luz y te libero en el Orden Divino.* Entonces permite que la burbuja flote hacia arriba. Sé creativo con ella. Deja que flote para que salga por la ventana, suba al cielo y llegue a los límites exteriores. No trates de controlar la burbuja. No hay responsabilidades anexas. Simplemente libérala a la luz y ama sabiendo que todo está bien. La situación está manejada. Es seguro dejarla ir.

Pasos

1. Selecciona lo que quieres liberar.
2. Colócalo en la burbuja imaginaria.

3. Selecciona un color para la burbuja y llénala con ese tono.
4. Di: *Te lleno con luz y te libero en el Orden Divino.*
5. Libera la burbuja hacia el Universo.

El barrido de la mente

Herramientas necesarias: Imaginación

Tiempo necesario: Quince minutos durante tres, siete o nueve días.

Resultados: La liberación respecto a patrones, hábitos y sistemas de creencia.

El *barrido de la mente* es otro ejercicio intenso. Puede usarse para liberar asuntos, patrones, bloqueos, y hábitos graves, así como también gente de nuestra vida. Se requiere un verdadero deseo para avanzar. Muchas veces, puedes sentir que estás preparado para el cambio, pero nada sucede. Tal vez hayas probado otros ejercicios y te sigues sintiendo bloqueado. Todavía puedes sentir que hay algo que obstruye el camino y simplemente no puedes identificarlo. El barrido de la mente llega al núcleo de los bloqueos, las cuestiones, los hábitos y/o las relaciones. Si te encuentras en la misma situación negativa una y otra vez, estás experimentando un patrón en tu vida. Todos los tenemos. ¿Siempre te encuentras en situaciones o en comités donde tienes que hacer sola todo el trabajo? ¿Vas de crisis en crisis en tu vida? Tal vez las cosas hayan comenzado bien para ti, como si finalmente hubieras obtenido lo que querías, pero lentamente las cosas se comienzan a desmoronar. ¿Te encuentras en el mismo tipo de relación una y otra vez, en la cual te usan, te controlan o abusan de ti? Estos patrones no tienes que aceptarlos como una norma o una forma de vida. ¿Estás cansado de fumar, o de ser sarcástico? ¿Evitas ciertas situaciones, confrontaciones o determinados tipos de relaciones? El primer paso es liberar la conciencia. Si estás consciente de la situación, ya has recorrido la mitad del camino. Incluso si no lo has identificado con exactitud, pero sabes que siempre tienes un calambre en la pierna justo antes de llegar a la línea de meta, vas adelantado en el juego. Si ninguna de estas cosas es cierta para ti todavía, no te preocupes, nos estamos preparando para mirar a tu vida.

Divide tu vida en categorías: familia, carrera, dinero, salud, relaciones, etc. Examina cada una para encontrar patrones o hábitos. ¿Tienes un problema para conservar un trabajo? ¿Te enfermas de influenza cada invierno sin excepción? ¿Siempre le estás prestando dinero a la gente y nunca lo recuperas? ¿Bebes demasiado? ¿Fumas demasiado? ¿No puedes decir que no, ni puedes aceptar un no como respuesta? ¿No puedes hacerle seguimiento a los proyectos? ¿No puedes seguir las instrucciones? ¿Te enamoras y dejas de estar enamorado con demasiada facilidad? Siéntate, comencemos.

Encuentra un lugar tranquilo, donde no te distraerán. Si quieres, puedes poner música instrumental suave o una música al estilo nueva era. Escoge un hábito o un patrón en el que quieras trabajar. Mientras estás sentado o acostado en una posición cómoda, cierra los ojos y trata de relajarte. Inhala mientras cuentas en silencio hasta cuatro. Sostén la respiración mientras cuentas hasta cuatro. Exhala mientras cuentas hasta cuatro. Continúa haciendo esto de cuatro a seis veces. Mientras haces esto permite que tu mente se clarifique de cualquier ruido o conversaciones superficiales que pudieran oírse.

Cuando te sientas totalmente relajado, enfréntate con la persona, el patrón o el hábito que quieres liberar. Tal vez la visualices si se trata de una persona. Si se trata de un patrón o hábito, puedes decidir visualizarlo para que aparezca escrito en una pantalla, o puedes preferir visualizarte a ti mismo desempeñando el hábito o el patrón. Permítete verlo, esto es muy importante. Si usas una pantalla, todas tus respuestas tal vez aparezcan en ella, incluso si le estas hablando a la persona, y si eres capaz de verla, es muy probable que ella te hable. Debes estar consciente de que se trata de su mente superior hablándote, de que su mente superior más pura y no está involucrado el ego. Quedarás expuesto a la verdad. Así que prepárate para hacer a un lado tu ego de manera que pueda surgir la verdad.

Cuando veas que tu patrón o hábito está frente a ti pregunta: "¿Qué representas?". La respuesta puede ser tan simple como la verdad, el amor o el miedo. El miedo puede ser a la intimidad, al fracaso, al éxito, al amor, al abandono, etc. Si se trata de una persona, tal vez tengas un diálogo con ella. Si se trata de una pantalla, tal vez aparezca su imagen o tal vez oigas una voz que sigue siendo pequeña de la verdad que te responde. Pregunta: "¿Por qué y cuándo se creó este patrón o hábito?". Tal vez obtengas una fecha específica. A veces aparece una imagen del incidente, que puede hacer que te remontes en el tiempo. La primera vez que te sentiste abandonado tal vez haya sido cuando tenías diez años de edad, cuando tus padres se divorciaron. A partir de entonces no te has permitido acercarte realmente a nadie por miedo a recrear ese sentimiento de abandono. Es muy probable que este pequeño incidente haya crecido como una bola de nieve, formando un patrón más grande. Muchas veces algo que un padre ha dicho de pasada, siembra una semilla en nuestro interior. Muchos de nosotros hemos oído que el dinero no crece en los árboles o que tienes que trabajar más duro que todos los demás si quieres avanzar. Estas creencias son la base de muchas cuestiones relacionadas con el dinero y con el trabajo que te mantienen en la carencia y en la limitación. Es tiempo de que dejes ir tus limitaciones. Dile a la persona, al patrón, al hábito y/o a ti mismo que *tú ya no aceptas lo que ellos representan en tu vida. Ya no te sirven*. Ya no necesitas miedo, abuso, pobreza, a esa persona, etc., en tu vida. "Te libero de mi vida y de mi vibración". Es importante que hagas esto con dureza. Deja que vibre a través de ti debido a que lo dices en serio. Si hay una persona involucrada con el patrón (un padre, un pariente, un cónyuge o un amigo), nómbrala y perdónala por ser la portadora de este patrón. Dependiendo de qué tan profunda sea la cuestión que estás tratando de liberar, tal vez tengas que repetir este proceso, tres, cinco, siete o nueve veces seguidas. Continúa haciéndolo una y otra vez. Tu cuerpo te puede cosquillear. Puedes sentirte mareado. Puedes sentir calambres en el estómago. Puedes quedarte dormido o comenzar a sudar copiosamente. Todo esto es normal cuando estás tratando de liberar algo o a alguien que ha tallado un pequeño y bonito nicho en el templo de tu cuerpo. Pero es tiempo de que se vayan, ¡ya sea que estén preparados o no! Cuando así sea, te sentirás renovado. Sentirás como si te hubieran quitado una carga. Ya no estarás llevando contigo ese saco de cemento.

Si se trata de una persona, permite que se vaya caminando o corriendo. Si está en una pantalla, bórrala o elimínala. Puedes ser tan creativo como quieras, pero libérate de ella. Asegúrate de que desaparezca. Me ha sucedido que la persona a la que estoy liberando, me llama en ese preciso momento. Como para decir: ¡Cómo te atreves a liberarme! Sé fuerte. ¡Déjala ir! Ella no te empodera. Solo *tú* te empoderas a ti.

Una vez que el patrón o hábito ha desaparecido, es importante que traigas una nueva vibración para reemplazar el vacío que se creó debido a la liberación. Esto se hace a través de la visualización, las afirmaciones u órdenes. Crea la escena ideal que quieres ver en tu vida: *libertad financiera, el entorno perfecto del amor compartido, la libertad respecto de tus miedos, el trabajo en el área que deseas, o tranquilidad mental.* Ve las imágenes en tu mente. ¿Qué se siente tener tranquilidad mental? ¿Cómo se siente desempeñarte en tu trabajo perfecto? ¿Cuán maravilloso es estar con tu pareja ideal en una relación? Ahora *decláralo. Ahora tengo libertad financiera. Ahora estoy libre de mi necesidad de sabotearme. Estoy perfecto como estoy. Ahora estoy libre de mi adicción al alcohol y lo que eso representa en mi vida.*

Muchas veces, después de que haces este procedimiento, por ejemplo al día siguiente, surgen más recuerdos. Puedes sentirte muy deprimido. Éste es el viejo patrón que está luchando para quedarse contigo. Piensa que si eso puede lograr que tengas dudas acerca de liberarlo, existe la posibilidad de que regrese. ¡NO SE LO PERMITAS! Recuérdate lo que tienes por ganar: La libertad respecto a tu pasado.

Te recomiendo repetir este proceso ya sea durante tres, siete o nueve días consecutivos. ¿Por qué? Porque el patrón, la creencia o el hábito no se creó de la noche a la mañana; por lo tanto no se liberará por completo de un día para otro. Tres, siete y nueve son los ciclos de la terminación. Determinas qué ciclo usar al echar una mirada honesta a tu situación. Si estás tratando con un patrón que has tenido la mayor parte de tu vida, se requerirá un mínimo de siete días para liberarlo. Liberar a una persona que no has conocido durante mucho tiempo puede requerir sólo tres días. Una cuestión familiar que tiene raíces profundas puede requerir nueve días. Mídelo en base a cuánto tiempo has necesitado para encararlo y también en base a tu proceso inicial para liberar. Si te encontraste con mucha resistencia cuando estuviste tratando de liberar y sabes que eso no ha desaparecido de tu sistema, puede necesitar nueve días. Es mejor hacer más que menos en está situación. Y sí, quiero decir que repitas el proceso durante nueve días consecutivos. Si rompes el flujo, tienes que comenzar de nuevo porque has roto la cadena o la acumulación de energía. La pared de resistencia que estabas construyendo ha perdido ahora un eslabón y aquello que has liberado tiene ahora la forma de regresar a escondidas. Y créeme, tratará de regresar. Sé fuerte y comienza de nuevo.

El propósito de este ejercicio es liberarte de hábitos, patrones y personas que ya no sirven para tu crecimiento. Recuerda esto mientras estás realizando este proceso. Es el momento para que avances. Es el momento para que crezcas.

Pasos

1. Decide qué quieres liberar.
2. Permítete entrar en un estado meditativo o relajado.
3. Aborda a la persona, el hábito o patrón que quieres liberar.
4. Pregunta: "¿Qué representas?" "¿Dónde se creó este hábito, patrón o situación?".
5. Dile a la persona, al patrón, al hábito y a ti mismo: "Ya no te acepto en mi vida. Ya no me sirves. Te libero de mi vida y de mi vibración".
6. Visualiza tu escena ideal.
7. Crea una afirmación que declare lo que ahora estás reclamando en tu vida. Dilo en voz alta.
8. Agradece a tu poder superior.
9. Repite todo el proceso durante un ciclo de tres, siete o nueve días consecutivos.

PARTE CINCO

LIMPIA TU CAMPO DE ENERGÍA

LIMPIEZA DOMÉSTICA ESPIRITUAL

Tu cuerpo como un templo espiritual.

Al limpiar, estás liberando de tu vibración y tu entorno, las capas de energía estancada. Así como al limpiar un espejo, puedes ver mejor tu reflejo, también puedes ver quién eres realmente. Al mover la energía por ahí, las cosas suceden. Cuando limpias tu energía experimentas la misma sensación que cuando tomas un refrescante baño de regadera, pero a nivel espiritual.

En ocasiones tu espíritu necesita una buena lavada. No estoy tratando de decir que tu alma esté sucia, sin embargo de tiempo en tiempo hay una película que nubla tu ser más profundo. No siempre eres capaz de irradiar el amor, la paz, la alegría, el equilibrio o la abundancia que debería estar fluyendo en tu vida. Los síntomas de esto son las ocasiones en las que te sientes perezoso o pesado. Puedes sentirte adormilado todo el tiempo o puedes sentir que hay una pared frente a ti y no puedes moverla. Las cosas pequeñas no están funcionando en tu vida. No te sientes empoderado. Hay formas simples para hacer que las cosas se muevan. Primero es importante comentar por qué te está sucediendo eso.

Como ser humano eres un imán que atraes personas y situaciones hacia ti y también atraes energía. Es tan simple como cuando un amigo tiene una dificultad y te habla acerca de ella. Tú siendo un buen amigo escuchas con atención toda su situación. Una vez que tu amigo ha terminado y se ha ido, puedes preocuparte por él y por el resultado de su situación. Ahora has logrado captar su energía y estás llevando su carga. A veces después de que te ha contado un problema, él puede sentirse mejor, pero tú no. Puedes estar agotado. Incluso puedes sentirte mal o enfermo durante días. ¿Te suena familiar? Por supuesto es fácil tratar de culpar a otras personas, a Dios, o al Universo cuando tu vida no va en la forma que quieres. Sin embargo, hay ocasiones en las que tienes que detenerte y asumir la responsabilidad por tus pensamientos, palabras y acciones. Estas tres cosas, en especial tus pensamientos, crean el caos, así como también las bendiciones en tu vida. Cuando surge una muralla en tu vida, y no logras superarla, échale un vistazo a la causa. ¿Estás tratando de hacer demasiado? Cuando te abrumas, nada funciona, incluso demasiado beneficio de inmediato puede asustar a algunas personas. Todas tus naves han llegado y no tienen nada que llevar; además necesitas un corte de pelo. No quieres echar a perder algo bueno.

Por el contrario cuando estás frustrado, enojado, amargado, dolido o asustado, toda tu vida se queda inmóvil hasta que te rindes. Rendirse, *¡qué palabra!* A veces ni siquiera sabes lo que se supone que debes entregar al rendirte. Esto es cierto, principalmente cuando parece que todo se te ha arrancado. Es importante estar dispuesto a dejar ir lo bueno y lo que no es tan bueno para abrirte a una mayor abundancia en tu vida.

Hay muchas maneras de limpiarse. Es tan fácil como lavar o mover algo en tu ambiente físico, o bañarte. Yo quité un viejo tapete que tenía en el piso y los editores comenzaron a llamarme, interesados en mi libro. A veces el sólo hecho de mover un mueble puede poner a tu vida de nuevo en el sendero. En otras ocasiones a lo mejor necesites mudarte. Cada situación es diferente. Comienza a pequeña escala y mira hacia dónde te lleva. No siempre es necesario mudarte cuando terminas una relación, mejor asegúrate de no estar huyendo de ella. Sé honesto contigo. Ve cómo te sientes a medida que te limpias. La limpieza puede ayudarte a comprender qué tan lejos has llegado y a dónde vas. Siguiendo mi ejemplo, después de quitar el tapete, lavé las persianas, moví los muebles y tiré muchas cosas. Tres semanas después recibí un cheque inesperado por $15 000.00 dólares. ¿Qué significa esto? Significa que tú también puedes experimentar muchas recompensas cuando te libras de lo que no quieres, para hacerle espacio a lo que sí quieres.

Te aliento a que hagas un inventario de tu ambiente y de ti mismo. ¿Estás bloqueando tus bendiciones? ¿Hay espacio para que entren los milagros? Hay formas simples para mantener fluyendo la armonía en tu vida. Comienza en tus pensamientos y termina en tu entorno. Has un inventario de tu vida. ¿Estás llevando el equipaje de otras personas? ¿Estás pensando negativamente acerca de eventos que no han sucedido todavía o que tal vez ni siquiera sucedan? ¿Está tan desordenada tu casa que ni siquiera puedes pensar con rectitud? Déjalo ir. Cualquier cosa que valga la pena tener, vale la pena dejarla ir. Pero debes estar dispuesto a liberarte y a liberar tu hogar de la acumulación y de las formas de pensamiento innecesarias.

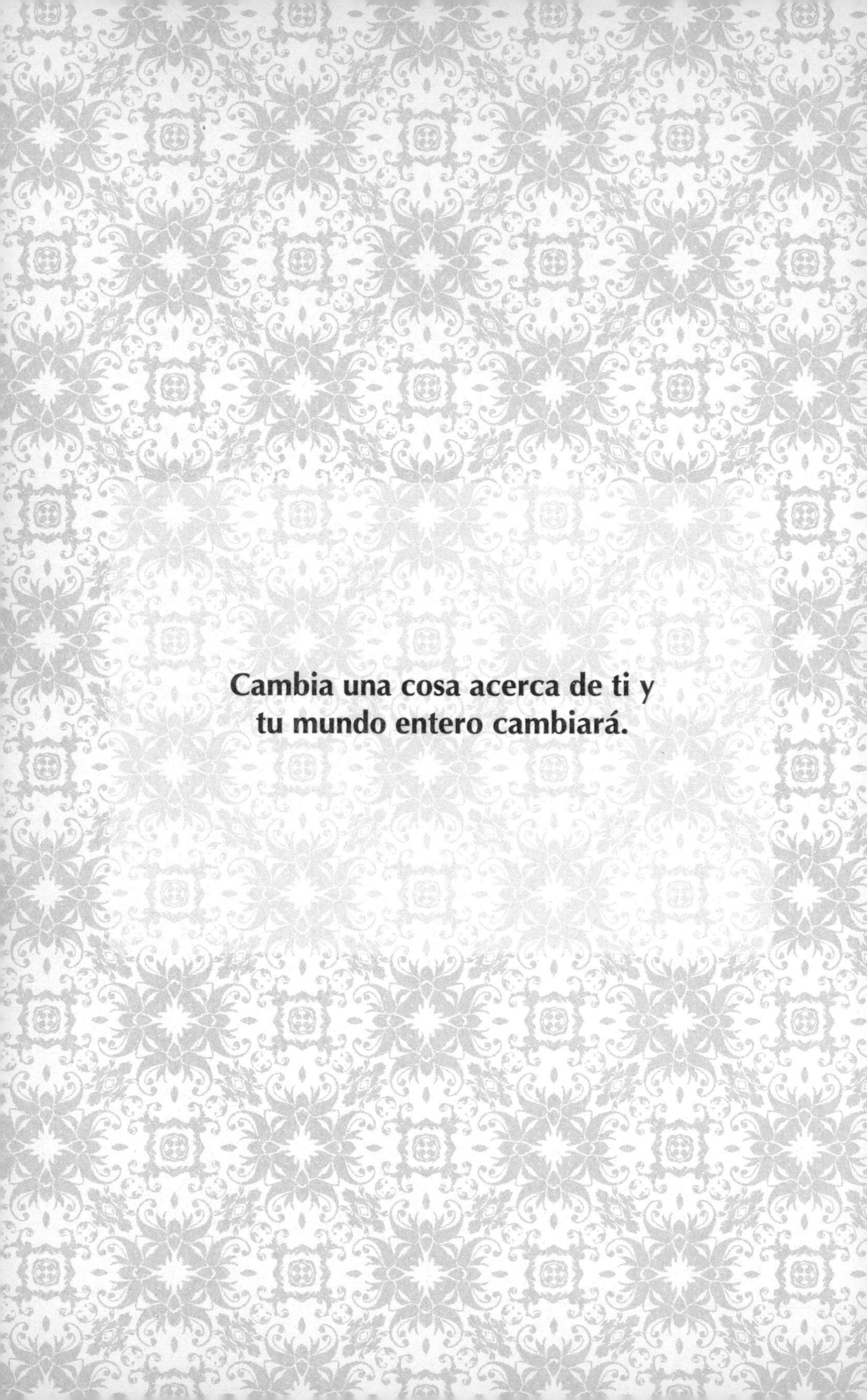

Cambia una cosa acerca de ti y
tu mundo entero cambiará.

EJERCICIOS DE LIMPIEZA

Limpieza de primavera

Herramientas necesarias: Bolsa para la basura.

Tiempo necesario: Quince minutos.

Resultados: Claridad, respuestas y una sensación general de relajamiento.

Cuando necesites hacer que las cosas se muevan con rapidez, haz limpieza y líbrate de algo. Sí, lo leíste bien: limpia. Ordena el ropero y líbrate de algo. Deshazte de esa ropa que no has usado y que sabes que no usarás. Regálala a la caridad, a un amigo o al albergue local para indigentes, pero sácala de tu casa. A veces te aferras a ropa que te trae malos recuerdos. El vestido que usabas cuando tu ex terminó contigo. El traje que llevabas cuando perdiste tu trabajo. Si cada vez que te pones esta ropa te sientes mal, cambia tu actitud o cambia de guardarropa. Cuando te libras de lo que no quieres en tu vida, haces espacio para que surja lo que sí quieres. Quieres cosas en tu ambiente que te hagan sentir bien contigo misma. Cualquier cosa que no haga esto, ¡se tiene que ir!

Esta técnica también se aplica a los muebles para archivar, los cajones de cosas viejas, la guantera o la cajuela de tu auto. Y no te olvides de la parte de debajo de la cama.

Es asombrosa la forma en la que acumulamos basura. Si las cosas inútiles a las que te aferras estuvieran en tus arterias, ¡estarías muerto! Cosas innecesarias obstruyen los canales hacia los deseos de tu corazón. Verás y sentirás resultados milagrosos a partir de esta técnica simple. No te preocupes acerca de las cosas de las que te estás librando, si las necesitas, encontrarán su camino de regreso hacia ti.

Después de que hayas limpiado el área, encuentra una forma de esterilizarla. Lávala y límpiala con una mezcla de amoniaco y agua. Luego *convoca tu renovación de vida.*

Pasos

1. Limpia y libérate de algo. Ya sea de un ropero, cajón, debajo de tu cama o de tu auto.
2. Lava o limpia el área con amoniaco y agua.
3. Di: *Convoco a mi renovación de vida.*

El limpiador espiritual de la casa

Herramientas necesarias: Sal de mar, agua, un vaso, incienso de salvia.

Tiempo necesario: Quince minutos.

Resultados: Ligereza de energía en tu hogar. Claridad.

Ésta es otra forma sencilla de aligerar tu carga. Llena un vaso con agua. Agrega tres cucharadas de sal de mar ¡y agita o sacude! Esto que estás preparando puede parecer tonto, pero funciona. Camina por tu casa, rociando esta mezcla de agua con sal. Humedece los dedos en el vaso y rocía el agua al aire, por las ventanas, las puertas, los muebles, etc. Algunas personas usan una botella para rociar. Recuerda, sólo se trata de agua, no mancha, sino que purifica. Lo que estás haciendo es limpiar la energía negativa, la tuya y la que has atraído en tus viajes. Rocía todo tu hogar, desde la parte de arriba hasta la parte de abajo y di: "Libero la energía negativa de mi hogar y mi ambiente. Libero todo lo que es menos que Dios y lleno mi espacio con amor, alegría, claridad y paz".

La segunda parte de este proceso es igual de simple. Después de que has terminado de quitar la energía indeseable de tu hogar o medio ambiente, ¡construye un campo de fuerza que mantenga dentro el bien y afuera todo lo demás! La salvia es maravillosa para limpiar y reabastecer la energía. La salvia apiana es la mejor, pero es difícil de encontrar. Por lo general encuentras la salvia por manojos mezclados con cedro o lavanda. Ambos son buenos para limpiar y atraer bendiciones. Si nunca la has usado, permíteme hacerte una advertencia: para algunas personas, huele como un incendio forestal, para otras huele como marihuana, ¡pero no tiene ninguno de sus efectos!

Antes de encender la salvia, asegúrate de colocar un plato o un recipiente de incienso debajo de ella donde caigan las cenizas. Deja que haga un poco de humo. Luego mueve la salvia en sentido contrario a las manecillas del reloj mientras caminas por tu casa y di. "Libero la energía negativa de mi hogar o de mi ambiente. Libero todo lo que sea menos que Dios y lleno mi espacio con las bendiciones del Universo". A este proceso se le llama ahumar; es un término de los indios norteamericanos.

Pasos

1. Pon unas tres cucharadas de sal de mar en un vaso de agua de ocho onzas y agita.
2. Rocía la mezcla de agua con sal por tu casa y di: "Libero la energía negativa de mi hogar o de mi ambiente. Libero todo lo que sea menos que Dios y lleno mi espacio con amor, alegría, claridad y paz".
3. Ahúma tu hogar o ambiente con salvia y di: "Libero la energía negativa de mi hogar o de mi ambiente. Libero todo lo que sea menos que Dios y lleno mi espacio con las bendiciones del Universo".

Baños de color

Herramientas necesarias: Colorantes para alimentos, tres tazas de sal de mar, la mitad de la tina llena de agua.

Tiempo necesario: Quince minutos.

Resultados: Claridad, respuestas y una sensación general de relajamiento.

Los baños de color son muy simples, y sin embargo, son muy poderosos. Estos baños espirituales pueden ayudar a producir claridad, revelar respuestas, liberar la energía negativa y hacer que te sientas realmente bien. Te sorprenderá cómo un poco de colorante para alimentos y la actitud mental correcta pueden cambiar tu vida.

He creado una tabla de colores, que encontrarás al final de este capítulo para ayudarte a seleccionar tu baño. Los baños deben incluir tres tazas de sal de mar, ya que ésta funciona muy bien para liberar la energía bloqueada en el templo de tu cuerpo, además, la sal de mar es una de las más puras en el mercado. Tienes la opción de poner música suave para crear un mejor ambiente, así como también de iluminar el cuarto con velas. Lo más importante es tu actitud mental mientras preparas el baño, durante el baño y después del baño.

Para decidir sobre el color del baño que quieres tomar, echemos un vistazo a unos cuantos factores. Si estás deprimido, un baño azul te ayudará a elevar tu estado de ánimo porque el azul representa la serenidad. Si estás bloqueado respecto a la creatividad, prueba un baño amarillo para hacer que fluyan los jugos y las ideas. Si las finanzas están un poco bajas, un baño verde inspirará la prosperidad. Cuando necesites sentirte empoderado, un baño púrpura te dará fuerza. Al buscar la claridad, trata de meditar en un baño amarillo. Cuando tengas un gran desafío al cual hacer frente y necesites un empuje adicional, un baño azul te dará la seguridad que requieres. Al comenzar una nueva meta, un baño verde te ayudará a anclarla. Al buscar el amor, disfruta de un baño rosado. Si no estás seguro de lo que necesitas, pero sabes que necesitas algo, prueba un baño blanco. Como verás a partir de la tabla al final del capítulo, te he dado opciones adicionales para agregar a tu baño. Puedes considerar la posibilidad de agregar unas cuantas gotas de aceite, o en el caso de hierbas o nueces, ya sea que estén frescas o secas, puedes hervirlas primero antes de agregarlas a tu baño. Los versículos que se enumeran se pueden leer para complementar la declaración afirmativa que creas.

Una vez que hayas decidido el tipo de baño que quieres tomar, concéntrate en lo que quieres lograr con tu baño. Si tu meta es ganar la Lotería o recuperar por la fuerza a un amor en tu vida, ni siquiera abras la llave del agua. Estos no son los propósitos de estos baños. Te ayudan a buscar las cosas positivas, como la claridad, el amor por ti mismo, la sanación y el empoderamiento.

Crea una declaración afirmativa para ti mismo que exprese lo que estás tratando de lograr. Tu afirmación debe expresarse en el presente. Yo ahora estoy... Yo ahora libero... Yo ahora estoy libre del enojo hacia María Juana. Estoy lleno del amor del espíritu e irradio amor, paz, alegría y belleza. Yo ahora estoy firme en mi meta de encontrar un nuevo departamento. Yo ahora estoy abierto a la sanación. Luz y rayos de sanación fluyen a través de mí, limpiándome de dolencias e incomodidades. Yo ahora libero mi depresión.

Sé claro acerca de lo que quieres alcanzar. Mientras preparas tu baño concéntrate en tu declaración. Cuando estés en la tina relájate y piensa acerca de la declaración. Lee los versículos si se aplican a lo que quieres hacer. Recuerda, la actitud mental es todo. Permítete visualizar el resultado que te gustaría obtener. El hogar perfecto. ¡Encontrar el poder! El amor incondicional. Sanación. Flujo financiero. Sentirte bien contigo mismo. ¿Cómo se sentiría tener tranquilidad mental? ¿Ser amado? ¿Ser próspero? Permite que esas sensaciones se difundan a través de ti y siéntete ser renovado. Cuando estés listo para salir de la tina, quita el tapón y visualiza que se va por el drenaje todo lo que es negativo, lo que te está obstaculizando, lo que te está preocupando, lo que te está asustando.

Después de salir de la tina, conserva tu actitud mental positiva y piensa que has anclado la nueva forma de pensamiento que creaste. A algunas personas les gusta meditar después de este proceso. Por lo general, yo me voy directamente a dormir, lo cual es benéfico debido a que el tratamiento que acabas de tener va más a fondo, a tu mente subconsciente, y los resultados pueden ser más profundos.

Tabla del baño de colores

Color:	Azul
Uso:	Serenidad, liberar la depresión y el enojo
Optativo:	Lavanda, romero o aceite de almendras, claveles blancos
Lectura:	Salmos, capítulo 121

Color:	Amarillo
Uso:	Claridad, creatividad
Optativo:	Aceite de limón o nueve avellanas sin cáscara
Lectura:	Salmos, capítulo 20 versículo 4. Proverbios, capítulo 16 versículo 3

Color:	Verde
Uso:	Equilibrio, dinero, sanación, establecimiento de metas
Optativo:	Rajas de canela o té de canela para el dinero y las metas, tres tazas de café cargado para la sanación
Lectura:	Salmos, capítulo 23, para las metas. Proverbios, capítulo 16 versículo 3

Color:	Rosa
Uso:	Amor, paz interior
Optativo:	Tres cucharadas de miel y un puñado de pétalos de rosa
Lectura:	1ra. a los Corintios versículos 1 al 13

Color:	Naranja
Uso:	Atracción de cualquier cosa
Optativo:	Albahaca
Lectura:	1ra. de Crónicas, capítulo 4 versículo 10

Color:	Rojo
Uso:	Valor
Optativo:	Eneldo o aceite de eneldo
Lectura:	Salmos, capítulo 37

Color:	Púrpura
Uso:	Empoderamiento, poder espiritual
Optativo:	Aceite de jazmín, o salvia
Lectura:	Salmos, capítulo 91

Color:	Blanco
Uso:	Purificación y protección
Optativo:	1 taza de vinagre blanco
Lectura:	Salmos, capítulos 23, 91 y 121

Pasos

1. Selecciona el color del baño que quieres tomar.
2. Crea la declaración que quieres pronunciar mientras estás en la tina.
3. Prepara la tina, agregando tres tazas de sal y unas cuantas gotas del colorante para alimentos que hayas elegido, además añade los ingredientes sugeridos.
4. Mientras te bañas, relájate permitiéndote liberarte y rejuvenecer.
5. Recita tu declaración.
6. Cuando termines tu baño, quita el tapón y visualiza que se va por el drenaje, con facilidad y sin esfuerzo, todo lo que no sea tu resultado deseado.

7. Permítete secarte al aire.
8. Mantén una actitud mental positiva.

Limpieza del aura

Herramientas necesarias: Tres limones, la mitad de la tina llena de agua.

Tiempo necesario: Quince minutos.

Resultados: Claridad, renovación del alma, purificación

Un aura es el campo de energía que rodea tu cuerpo. Hay muchas capas de energía alrededor de nosotros, pero tu aura es el abrigo superior. Es el aspecto que le presentas al mundo.

La energía como la ropa puede ensuciarse. Hay ocasiones en las que nuestra energía parece estancarse como el agua sucia en un lago o en un río. Sólo quieres remover lo que parece viejo o enlodado. A veces las personas que están a tu alrededor pueden decirte que tu aura no está muy brillante y que no eres la persona agradable que normalmente eres. Es posible que existan agujeros en tu aura, debido a las experiencias desagradables que has tenido. Una limpieza del aura es una forma sencilla de rellenar tu aura y hacer que regrese a su brillo natural. Tu aura es como tu cabello. Cuando está grasoso o sucio, tiende a estar aplastado y no hace lo que quieres que haga. Pero cuando está limpio, está esponjado y lleno de vida.

Al igual que con los otros baños de este capítulo, el baño para la limpieza del aura requiere el mismo lugar tranquilo. Los limones deben ser frescos y no deben ser de un concentrado del jugo. El tamaño de los limones no es importante. Considera que los tres limones que has escogido son los mejores para ti en este momento.

Exprime el jugo de los limones directamente en tu tina. Si lo deseas, agrega los limones exprimidos, por si acaso. Mientras estás en la tina, relájate, libérate y rejuvenece. Siente que los escombros se desmoronan y se alejan de ti. Permite que los pensamientos surjan y luego se liberen. Cuando quites el tapón, visualiza que todo se va por el drenaje con facilidad y sin esfuerzo. Ve los colores sucios de tu aura en el agua y reconoce que estás libre de ellos.

Pasos

1. Báñate en tina o en regadera para que estés limpio antes de tomar este baño.
2. Prepara tu tina.
3. Exprime el jugo de tres limones y ponlo en la tina.
4. Mientras te bañas, relájate, libérate y rejuvenece, seguro de que las capas de mugre y lodo se están eliminando de tu cuerpo interno y externo. Visualiza las viejas capas como colores obscuros que se lavan y se caen de tu cuerpo. Ve cómo brilla el arcoíris que es tu verdadera esencia.
5. Cuando termines, quita el tapón y visualiza que se van por el drenaje, con facilidad y sin esfuerzo, los

colores sucios provenientes de tu aura y todo lo que no sea tu mayor vibración.

6. Permítete secarte al aire.
7. Mantén una actitud mental positiva.

Limpieza de la negatividad

Herramientas necesarias: Hojas enteras de laurel, la mitad de la tina llena de agua.

Tiempo necesario: Quince minutos.

Resultados: Liberación de la negatividad. Aumento de la protección espiritual.

A veces, simplemente no te sientes bien. No puedes librarte de la sensación de estar desanimado. Todo lo que surge de tu boca es algo negativo. Desafortunadamente, esto nos pasa a todos. Todos tenemos días en los que la acumulación del estrés se lleva lo mejor de nosotros. A veces, por culpa de otras personas. Puedes recibir el mal humor de tus amigos o tus seres queridos debido a que estás cerca de ellos. Cuando convives con otras personas estás en su vibración, esto significa que puedes recibir lo bueno y lo que no es tan bueno que se irradia de ellos.

Lo mejor que puedes hacer en un caso así es disculparte y alejarte de la gente. A veces quieres estar enojado o deprimido, y eso está bien. Sin embargo, hay ocasiones en las que ya tuviste tu cuota de negatividad, y no puedes lograr que se aleje. Ahí es donde un simple baño puede ayudar a que las cosas cambien.

El valor espiritual de las hojas de laurel disipa la negatividad, aumenta la protección y purifica el alma. En un baño, permites que las toxinas negativas se extraigan de tu cuerpo. En este baño especial, no sólo liberas la negatividad, sino que también te proteges.

Antes de bañarte, es importante hervir unos cuantos puñados de hojas secas de laurel en agua. Usa la olla más grande que tengas, o un recipiente de barro. Una vez que se hiervan las hojas, deja que se enfríen un poco. Comienza a abrir la llave del agua de tu tina y agrégale la mezcla de hojas de laurel. Asegúrate de que el agua no esté demasiado caliente. ¡La meta no es eliminar de ti la negatividad quemándola!

Durante el baño, relájate y permite que las hojas de laurel hagan su trabajo. Libera cualquier pensamiento negativo que surja. Se están extrayendo de ti las toxinas y los resultados completos de este baño durarán más de un día. Muchas veces, cuando comienzas la liberación, lo haces de muchas maneras. Cualquier cosa, desde una nariz que moquea hasta un estómago suelto, puede ser un efecto secundario de este tratamiento.

En algún punto durante tu baño di: "Dios del amor, Dios de la luz, libérame de mi negatividad y concédeme tu paz". Continúa bañándote. Cuando hayas terminado, permite que tus sentimientos se vayan por el drenaje, pero retira las hojas de laurel antes; eso te puede evitar problemas.

Después del baño, debes sentirte refrescado. Permítete relajarte o irte a dormir. Durante los siguientes días, pueden surgir recuerdos que son molestos, pero aparecen de manera que puedas liberarlos. Piensa que en este proceso de purificación, estás dejando que la negatividad se vaya y te estás protegiendo para que no regrese con tanta rapidez. Surgirán cosas al hacer tu limpieza, a las que no debes darles ningún poder. Los pensamientos negativos sólo pueden permanecer si tú se los permites.

Pasos

1. Hierve hojas de laurel y agua en un recipiente grande.
2. Abre la llave del agua y agrega la mezcla de hojas de laurel.
3. Relájate en la tina. Di: "Dios del amor, Dios de la luz, libérame de mi negatividad y concédeme tu paz".
4. Cuando hayas terminado, quita el tapón y visualiza tu negatividad yéndose por el drenaje.
5. Permítete secarte al aire.
6. Mantén una actitud mental positiva.

PARTE SEIS

SANA EL TEMPLO DE TU CUERPO

UN TIEMPO PARA SANAR

Empodérate mediante la sanación de tu mente.

La sanación se define de muchas formas. Para algunos, es restaurar el equilibrio de su alma. Para otros, es la limpieza. Es también un método para volver a energizar el cuerpo. Hay muchas formas de sanar. La sanación puede lograrse solo o con la ayuda de otros. Los ángeles, los guías espirituales, las hierbas, o las afirmaciones, pueden ayudarte a sanar. También hay diferentes tipos de sanación. Ningún estilo de sanación es mejor que otro. La gente usa aquello a lo que se siente atraída. Después de presentar los principales tipos de sanación, pasaré entonces a unas cuantas técnicas especiales que harán posible que te sanes y te empoderes.

Estar empoderado es comprender que toda enfermedad o dolencia empieza desde adentro. Creo que puedes curar todas las cosas a través de la conciencia y con el apoyo de profesionales: médicos, holísticos y espirituales. Creo que Dios trabaja en muchas formas y a través de muchas personas, pero el trabajo real proviene de tu interior. Debes estar dispuesto a dejar ir, a perdonar y a cambiar para tener una sanación total.

Muchas veces cuando estás enfermo, tu cuerpo te está diciendo que desaceleres el paso. Enfermarte del estómago, dejar que te rompas una pierna o tener un ataque al corazón tal vez sea la única forma de hacerlo. A veces tu cuerpo se está desintoxicando o se está limpiando. Con frecuencia necesitas reabastecimiento. Por favor comprende, si tu cuerpo necesita un descanso y te rehúsas a dárselo, éste encontrará formas para obtenerlo. ¡El cuerpo siempre gana!

Es importante escuchar a tu cuerpo. Sabe cuando necesitas desacelerar. Muchas personas pueden sentir cuando se aproxima una enfermedad, pero en lugar de desacelerar, se apresuran con más velocidad para terminar tantas cosas como puedan antes de enfermarse. Cuando esperas que llegue una enfermedad, siempre llega, y llega con fuerza. Una práctica maravillosa que puedes realizar es escuchar a tu cuerpo. La verdad es que eso cambiará tu vida. Comenzar a estar a tono con tu cuerpo significa escuchar tu voz interior, tu voz de la verdad. Tu verdad nunca te guiará mal. Tu verdad es todo.

Admitir que te estás preparado para sanar tus heridas es un gran paso hacia adelante. De hecho, la mitad de la sanación ocurre cuando admites que tienes apertura y estás preparado para ella. ¿Por qué? Porque en ese momento ocurre un cambio dentro de ti, ¡la basura a la que te estás aferrando se cae por la impresión! *¿Cómo te atreves a no querer continuar con el dolor? ¿No te gusta la depresión? ¡Tú le gustas a la depresión! ¿Qué hay acerca de mí, el enojo? ¡Hemos tenido tantas buenas batallas!* Bueno, el dolor ha recorrido su camino, ahora es tiempo de sanar, tiempo de regresar a la esencia de aquel que realmente eres. Eres una persona llena de amor, fortaleza y poder.

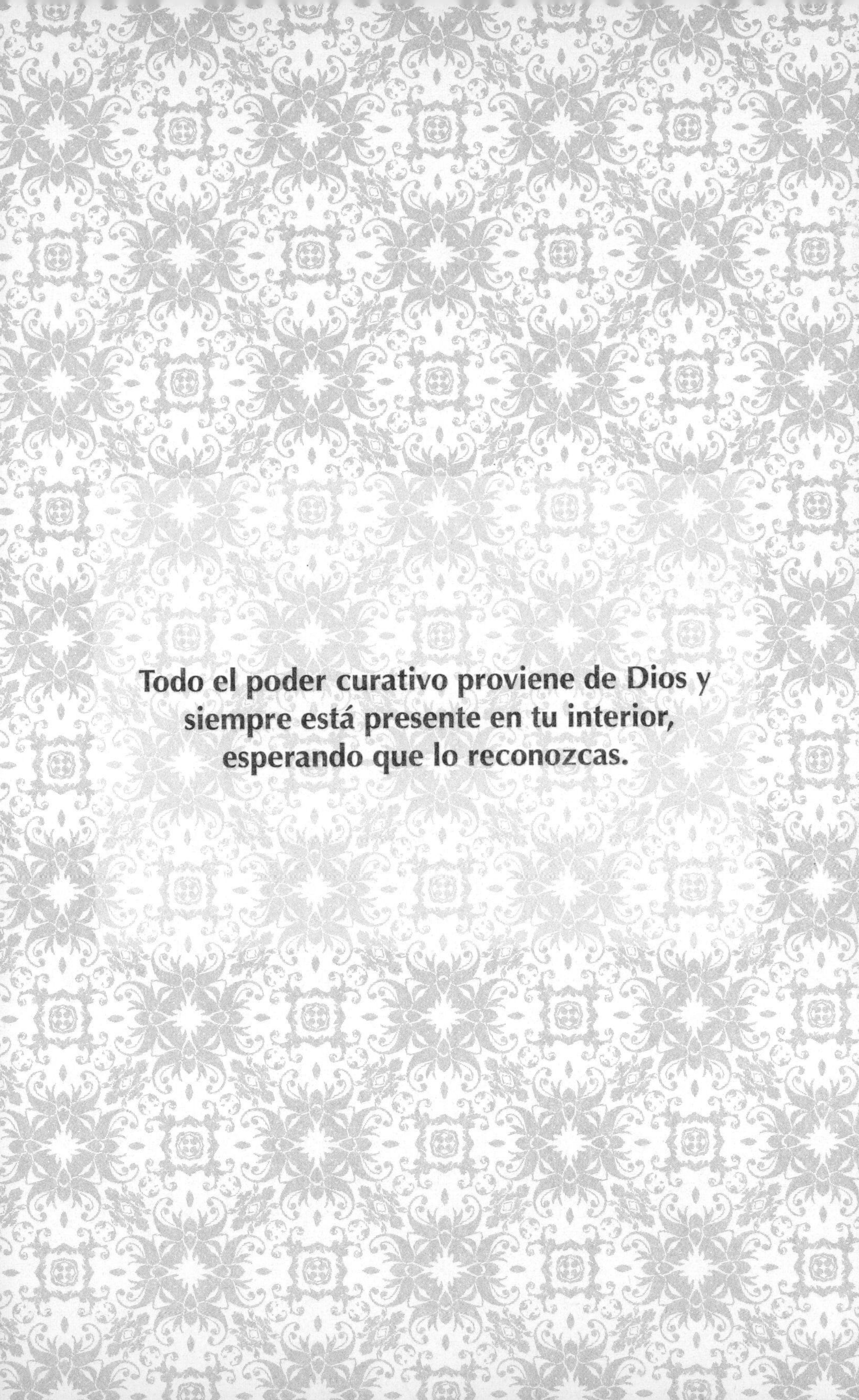

Todo el poder curativo proviene de Dios y siempre está presente en tu interior, esperando que lo reconozcas.

SANACIÓN ESPIRITUAL

La sanación espiritual implica muchas técnicas que producen el mismo resultado: equilibrar el templo de tu cuerpo. Este equilibrio se produce a través del trabajo con los puntos de energía en tu cuerpo conocidos como chakras. Hay más de dos mil chakras o puntos de energía en el cuerpo humano. En realidad, todo tu cuerpo es energía. Los siete puntos que se reconocen más comúnmente son: la Raíz, el Bazo, el Kundalini, el Corazón, la Garganta, el Tercer Ojo y la Coronilla. Para más información, revisa el ejercicio "Sanación de Chakra" en este capítulo.

El campo de energía de tu cuerpo responde a tres cosas: tu dieta, tu ambiente y los sucesos que experimentas en ese ambiente. Estos tres factores afectan tu mente, cuerpo y espíritu. Ahora, si vives en este planeta, hay muchas posibilidades de que tu mente, cuerpo y espíritu no estén en equilibrio todo el tiempo. Eso está bien, eres humano. Estás aquí para sanar y crecer, y creces a través de las experiencias. Algunas de ellas te producen alegría, otras te producen dolor. Hay algunas personas que creen que si no produjeran nada más, el dolor te permitiría saber que sigues vivo. Como un comentario positivo, el dolor también te permitiría saber que hay espacio para la sanación.

Con mucha frecuencia en la sanación espiritual trabajas con un profesional de la sanación, alguien que ha asumido el papel como canal de sanación. Un profesional no está usando su propia energía para curarte, sino que está permitiendo que fluya a través de él hacia ti. Esta energía proviene del Universo, de Dios. Algunos se refieren a ello como la Luz o Amor Divinos. Esta forma de sanación puede hacerse estando tú presente o a distancia, ya que es energía en funcionamiento y la energía no reconoce límites. Las técnicas de este capítulo te mostrarán la forma en la que puedes ser tu propio sanador.

Muchos de los estilos populares de sanación son: Reiki, Pránica, Polarización, Etérea, Shen y Johrei. Todos estos nombres significan energía. La meta de cada estilo es la misma: el equilibrio de la mente, el cuerpo y el espíritu. Cada sanador es distinto. Me gusta pensar que los sanadores son doctores espirituales que tienen diferentes especialidades y técnicas. Dependiendo del sanador, éste puede incluir aquello a lo que yo llamo las bonificaciones espirituales. Algunos pueden trabajar con guías espirituales o ángeles. Otros se especializan en aclarar todos los aspectos de tu pasado o de aspectos particulares en tu vida. También, están aquellos que trabajan específicamente con tus campos energéticos y las muchas capas de energía que conforman tu cuerpo. Yo he sido una sanadora durante casi veinte años. Estoy certificada como Maestra Reiki, Curadora Pránica y Curadora Espiritual. Estos títulos significan una cosa: soy un canal para la luz. Recuerda que tú también eres un canal para la luz.

Cuando trabajo en alguien, quito todos los impedimentos. Trabajo con la energía de la persona, pero también llamo a sus guías espirituales, así como a los santos y ángeles. Hago esto porque mi meta y la meta de todos los sanadores, es restaurar tu equilibrio. En una sesión puedo trabajar con una dolencia o hábito en particular, o simplemente puedo dar una limpieza profunda. Cada caso es diferente dependiendo de las necesidades del individuo.

En general, si has estado trabajando en ti mismo a través del uso de técnicas liberadoras, leyendo libros espirituales, asistiendo a seminarios espirituales, tomando hierbas y vitaminas, o viendo a un terapeuta, tú estás provocando cambios de energía en tu cuerpo. Por otra parte, cuando pasas por una mala experiencia, tan grande como una muerte, o tan pequeña como un embotellamiento de tránsito, tu campo de energía también se ve afectado. La sanación puede ayudarte a limpiar los escombros de la vida, así como a reabastecerte con energía y suavizar los bordes ásperos del templo de tu cuerpo.

Tienes el poder dentro de ti para ser un canal de sanación que reciba energía del Universo. El único requisito es estar dispuesto. Cuando tu madre o tu abuela te frotaban el estómago cuando eras pequeño, simplemente estaban canalizando amor, y el amor cura. Tú puedes hacer lo mismo. Frótate las palmas y luego sostenlas una frente a la otra con una separación de unos 25 centímetros; deberías poder sentir la energía vibrando entre ellas. Llévalo al siguiente nivel, piensa en el amor y nota la forma en la que la energía se intensifica. Ahora estás canalizando amor. Coloca tu mano sobre tu corazón y sobre tu estómago y deja que tu amor continúe fluyendo. Te estás curando a ti mismo. Puedes reemplazar la vibración de amor con la paz, la alegría, la creatividad o la abundancia. La sanación espiritual es sencilla. Se requiere el deseo de ser un canal para la energía Divina proveniente del Universo.

SANACIÓN HOLÍSTICA

La sanación holística es sanación natural. Es el uso de remedios naturales y antiguas técnicas para sanar dolencias. Desde el principio de los tiempos y en todas partes del mundo, la gente usaba lo que tenían disponible para curarse. Algunas de las técnicas funcionaban, otras demostraron ser fatales. Muchos remedios se han transmitido de generación en generación. Mi madre solía darnos té de jengibre para el dolor de estómago y para prevenir los resfriados. También recibíamos una dosis trimestral de aceite de ricino para eliminar parásitos y mantener nuestra regularidad al evacuar. Éstos eran remedios que había traído con ella y con su familia de Jamaica y los transmitió a sus hijos en Estados Unidos. Las hierbas tienen muchas propiedades curativas y estos remedios funcionan. Por ejemplo, el té de manzanilla ayuda a dormir; se toma carbón activado para la indigestión y los gases; y la equinácea y el sello dorado contra el resfriado y otras infecciones. En la medicina china tradicional hay incontables remedios que se preparan como tés para tu placer curativo. Las flores y los minerales también se usan por sus propiedades curativas. Finalmente también existe el uso de los aceites esenciales a través de la aromaterapia, que se describe como un tratamiento que usa las fragancias. En esta práctica holística, los aceites de las plantas se usan para sanar y equilibrar el templo del cuerpo. Los aceites pueden usarse en los masajes, para ponerlos en un baño o como compresas. Los aceites se absorben en la piel y luego pasan al torrente sanguíneo, donde viajan por todo el cuerpo. Antes de tomar hierbas, minerales y vitaminas para las dolencias, consulta a un doctor de medicina china o a un iridólogo, homeópata, herbolario, nutriólogo, o a un aromaterapeuta. Ellos pueden guiarte acerca de lo que está bien para el templo de tu cuerpo.

La última forma de sanación natural que quiero mencionar es el uso de la acupuntura, la acupresión, la reflexología y el masaje para ayudar al cuerpo en la sanación. La acupuntura y la acupresión provienen de antiguas escuelas asiáticas de sanación. Sin embargo, al igual que la sanación espiritual, estas cuatro formas de sanación se concentran en los diferentes puntos de energía del cuerpo. En la acupresión, la reflexología y el masaje, se aplica presión en ciertos puntos para liberar bloqueos y abrir los canales para que la energía fluya con más suavidad. En la acupuntura, agujas especiales se insertan en estos puntos de bloqueo en el cuerpo y ocurren curaciones milagrosas.

Si estás interesado en trabajar con un sanador, hay varias formas de encontrar uno. Muchas ciudades tienen librerías metafísicas o de nueva era donde es común que se anuncian los sanadores. Si tienes Internet, con frecuencia muchos sanadores también se anuncian ahí. Puedes ir a los sitios web de sanación pránica o reiki para obtener información acerca de cómo ponerte en contacto con uno de sus sanadores. Una sesión de sanación debería costar entre sesenta y cinco y ciento veinticinco dólares. Los precios varían en base a las técnicas usadas y al entrenamiento. Un sanador de precio bajo no necesariamente es un sanador menos experimentado. Por lo general, esa persona es más humilde. La mejor forma de encontrar a un sanador es a través de una recomendación. Si no es posible que te recomienden a alguien, entrevista a tu sanador potencial. Hazle preguntas acerca de su entrenamiento y las técnicas que usa. Luego, si te sientes cómodo con eso, prueba una sesión. Si todo va bien, continúa. De lo contrario, NO CONTINÚES. Confía en tu propio juicio. Espera unos cuantos días después de la sesión para ver cómo te sientes. No permitas que el sanador haga que compres una serie de sesiones antes de haber tenido la primera. De nuevo hago énfasis en que confíes en tu propio juicio.

No hay ninguna técnica de sanación de la que se hable en este capítulo que no puedas aprender y practicar, si decides hacerlo. Por otra parte, tengo que decir que las técnicas de sanación de este capítulo tal vez no sean para todos. No deben sustituir el cuidado médico tradicional, en especial si te atrae la medicina alópata.

EJERCICIOS DE SANACIÓN

Limpieza rápida del cuerpo

Herramientas necesarias: Deseo, una silla, un lugar donde no te molesten.

Tiempo necesario: Quince minutos.

Resultados: Sanación, sensación de relajamiento general, claridad, confianza y empoderamiento espiritual.

Hay ocasiones en las que necesitas una sanación rápida antes de salir de casa, de ir a una reunión o de hablar con alguien. No necesariamente tienes que estar enfermo, es sólo que no te encuentras perfectamente bien. Si éste es el caso, siéntate y permítete ir a través de un proceso de sanación durante unos cuantos minutos.

Es importante saber qué estás tratando de sanar antes de comenzar el proceso. También es importante saber que una vez que comienzas el proceso curativo, las cosas pueden cambiar. Una vez que decides que te quieres concentrar, tu siguiente paso es relajarte.

Puedes decidir relajarte a tu manera, o por medio de contar rítmicamente hasta seis mientras inhalas y luego sostener la respiración hasta la cuenta de seis, para después exhalar hasta la cuenta de seis, concentrándote en tus patrones de respiración. Algunas personas dicen afirmaciones repetidamente de seis a diez veces para relajarse. Cosas tales como: *Paz, permanece firme y comprende que yo soy Dios, Om o Amor;* o *Dios es-Yo soy*. Una vez que te sientas en paz, imagínate que te estás llenando con los siguientes colores desde la parte superior de tu cabeza y bajando hasta la punta de los dedos de tus pies: blanco, azul, rosa y oro.

Comienza rodeándote con luz blanca. Si no estás seguro acerca de cómo hacer esto, trata de visualizar un foco de 75 vatios, colócate dentro del foco, luego enciende la luz. Ésa es la frecuencia de la luz que siempre deberías tener a tu alrededor.

Una vez que estés relajado y rodeado de luz, visualiza la luz blanca fluyendo hacia el templo de tu cuerpo, desde la parte superior de tu cabeza hasta la punta de los dedos de tus pies, como una cascada o una llave de agua abierta. Esto limpia tu cuerpo. Después permite que fluya luz azul para tener claridad y tranquilidad mental. Luego luz rosa en la misma forma para llenarte de amor, y al final luz dorada para la protección. Piensa que mientras estos colores fluyen a través de ti, te están limpiando y te están sanando. Dale las gracias a tu poder superior.

Este tipo de sanación puede usarse antes de entrar a una reunión o antes de un suceso importante, porque aclaran el miedo, el dolor y cosas menores que te estén afectando en ese momento. Al permitir que la luz azul fluya, estás calmando tus plumas alborotadas y estás permitiendo que la paz prevalezca. Al llenarte con luz rosa, que es amor incondicional, estás produciendo un equilibrio en el templo de tu cuerpo. La luz dorada que se irradia a través de ti, te da un aura de confianza y fuerza.

Eso, combinado con los rayos del amor harán que tengas éxito en cualquier reunión o evento, ¡incluso en una fiesta!

Pasos

1. Relájate hacia un estado meditativo.
2. Rodéate con luz blanca.
3. Deja que la luz blanca fluya desde la parte superior de tu cabeza hasta la punta de los dedos de tus pies.
4. Permite que enseguida fluya luz azul, luz rosa y finalmente luz dorada, desde la parte superior de tu cabeza hasta la punta de los dedos de tus pies.
5. Dale gracias a tu poder superior.

Sanación exprés para áreas específicas

Herramientas necesarias: Deseo, un lugar donde no te molesten.

Tiempo necesario: Quince minutos.

Resultados: Sanación, sensación de relajamiento general, claridad.

Muchas técnicas se concentran en sanar el dolor en una parte específica de tu cuerpo. Antes de comenzar la sanación exprés, hazte una serie de preguntas, comenzando con ¿Qué representa este dolor? Acepta la primera respuesta que llegue. Si tu voz interna responde miedo, pregunta: ¿Miedo de qué? Una vez que sepas a qué le tienes miedo, elige liberarlo. Denuncia su poder y cuestiónalo aún más. Tu voz interna puede decirte que el dolor representa a una persona, un lugar o una situación en la que te has metido. Después de reconocer lo que representa, pregunta: *¿Cómo puedo aliviar este dolor?* Acepta la respuesta. Puede ser tan simple como confiar, o podría decirte que te mudes, que dejes tu trabajo, que te rindas, que te alejes caminado o que dejes a tu compañero.

Si al preguntarle a tu voz interna cuál es la causa de tu dolencia, te dice el nombre de una persona, pregunta:

¿qué necesitas hacer para liberarte de esto? Tal vez tengas que perdonarla, dejarla ir o posiblemente decirle algo que has estado reteniendo.

Después de que te has concentrado en el área y la causa, rodea todo tu entorno con luz amarilla, la conciencia de Cristo. Si se trata de tu cabeza, rodea los puntos de tu dolor de cabeza con luz. Visualiza el centro de tu frente, ambas sienes y la nuca con luz. Luego visualiza una corriente de luz amarilla fluyendo de la parte superior de tu cabeza al área del dolor. Dependiendo de dónde sientas el malestar, la siguiente parte puede ser difícil. Si tu dolor está en la cabeza, visualiza una puerta en tu frente o en la parte superior de la cabeza. Si tu dolor está entre tu cuello y tu cintura, visualiza una puerta en tu corazón. Si tu dolor está en tu estómago, usa tu ombligo. Debajo de tu cintura, usa el centro de tus pies. Para tus brazos, usa el centro de tus palmas. Abre esa puerta y permite que los colores de tu dolor fluyan hacia fuera. Pueden salir lentamente, o pueden salir con fuerza. La luz que está fluyendo desde el centro de tu cabeza es la corriente que los está empujando. Los colores que están saliendo pueden ser oscuros o densos. Incluso puedes ver objetos o personas en la corriente de conciencia que estás liberando. Después de unos cuantos minutos los colores deberían comenzar a cambiar. Deberían llenarse cada vez más con luz, hasta que el color que estás recibiendo a través del centro de tu cabeza, esté fluyendo hacia fuera por el centro de tu frente. Cuando hayas logrado esto, cierra la puerta y permite que la luz de Cristo continúe fluyendo a través de todo tu cuerpo por unos cuantos minutos y abraza esa sensación.

Tómate el tiempo necesario para evaluar el área de dolor. Si estás experimentado dolor en la rodilla o en el pie, el asunto puede tratarse de avanzar en una situación en la vida. Un dolor de cabeza por lo general significa que tienes demasiadas ocupaciones, o que algo subyacente te está produciendo estrés y que necesitas obtenerlo. Los problemas estomacales son miedos. El área del pecho y los pulmones representan cuestiones emocionales. La rigidez en el cuello es la falta de disposición para ver las cosas de una manera diferente. El estreñimiento es rehusarse a soltar algo. Los tumores son lesiones suprimidas. La espalda baja es tu sistema de apoyo, ya sea financiero o de otra naturaleza. El procedimiento es el mismo para cualquier parte del cuerpo. Échale un vistazo a las cuestiones de tu vida. Rodea el área en cuestión con la luz de Cristo, desde la parte superior de tu cabeza hasta esa área. Visualiza la puerta, ábrela y libera eso.

Éste es un proceso simple y sin embargo, muy poderoso. No debe usarse para sustituir el cuidado de un médico o los medicamentos que se compran sin receta, especialmente si los estás usando. A veces no estamos listos para sanar totalmente una situación y tal vez necesitemos la asistencia temporal que puede proporcionar una aspirina o una bolsa de agua caliente. Incluso puedes necesitar pagarle a un doctor para que te diga que todo está en tu cabeza o que no puede averiguar qué es lo que está mal. Depende de ti, pero es una técnica espiritual que no te cuesta nada.

Recuerda, el dolor es un signo de que a tu cuerpo no lo gusta lo que está sucediendo. Prepárate a escuchar a tu cuerpo y actúa de acuerdo a lo que dice que necesitas.

Pasos

1. Relájate.
2. Pregúntate: "¿Qué representa este dolor o dolencia?"
3. Pregúntate: "¿Cómo puedo aliviar este dolor o dolencia?"
4. Rodea el área con luz amarilla.
5. Haz que la luz de Cristo recorra desde la parte superior de tu cabeza hasta el área del dolor.
6. Visualiza una puerta en el área. Abre la puerta.
7. Permite que los colores que representan el dolor fluyan hacia fuera de la puerta ,hasta que la luz amarilla de Cristo fluya y se salga. Luego cierra la puerta.
8. Permite que la luz de Cristo fluya por todo tu cuerpo.
9. Agradece a tu poder superior.

Autosanación afirmativa

Herramientas necesarias: Deseo, un lugar donde no te molesten, afirmaciones.

Tiempo necesario: Quince minutos.

Resultados: Sanación, sensación de relajamiento general, claridad, respuestas a preocupaciones.

La clave de la sanación afirmativa es convertir la dolencia negativa en una poderosa afirmación para la sanación. Siéntate o acuéstate en un lugar tranquilo. Permítete relajarte. Puedes seleccionar hacerlo a tu manera o concentrándote en tus patrones de respiración, como contar rítmicamente hasta seis mientras inhalas, luego sostener la respiración hasta la cuenta de seis, para después exhalar hasta la cuenta de seis. Prueba con decir afirmaciones tales como *Paz, permanece firme y comprende que yo soy Dios, Om o Amor.*

Una vez que te encuentres en un estado relajado, concéntrate en tu dolencia o en tu incomodidad. Puedes usar mi mini guía de lo que está mal, o preguntarle a tu mente superior. Te sugiero referirte al libro de Louise Hay, *Sana tu cuerpo*. Te dice específicamente qué representa tu dolencia. De cualquier forma, lo que quieres saber es *¿qué representa ese dolor en tu vida?* Una vez que estés consciente de la causa, crea una afirmación para ti mismo que refleje un resultado positivo en el presente. Habla de lo que quieres y no de lo que no quieres. Es mejor decir: *Yo ahora libremente abrazo y respiro libremente la vida con equilibrio y facilidad,* que decir: *Yo ya no tengo neumonía. Ahora pienso con claridad, con precisión y con facilidad,* en lugar de decir mi migraña ha desaparecido y todo está bien. Al afirmar el resultado positivo, no menciones la dolencia. No menciones el cáncer, en lugar de eso di: *Yo libero todas las lesiones pasadas. Perdono a cualquiera. El templo de mi cuerpo está restaurado a una condición perfecta.* Repite la afirmación cuando menos diez veces o hasta que sientas que resuena en ti. Quiero asegurarte que es normal que al principio cuando comienzas a decir la afirmación no la crees tú mismo. La clave es mantenerte diciéndola hasta que la creas. Entonces, déjala ir.

Mini guía metafísica de la salud

Dolencia	Significado metafísico
Dolor de cabeza	Demasiadas actividades en progreso, estrés
Rigidez del cuello	No estar dispuesto a ver algo en una forma diferentes
Garganta	Una necesidad de comunicar
Acidez o ardor de estómago	Miedo, enojo y estrés
Espalda superior	Cargar el peso de tu mundo en tu espalda
Espalda baja	Falta de seguridad financiera o apoyo emocional
Problemas estomacales	Miedo
Estreñimiento	Rehusarse a dejar ir algo
Piernas	Rechazo a avanzar

Muestras de afirmaciones

- La salud y la integridad son mi derecho de nacimiento. Lo reclamo ahora.
- Quiero agradecer que el milagro que busco, me está buscando.
- Estoy libre del dolor y estoy lleno del amor de la Divinidad.
- El bienestar es el estado natural de mi cuerpo. Pienso sólo en el bienestar. Estoy lleno de salud y energía.
- Declaro que cada célula de mi cuerpo está trabajando en unión y en perfecta armonía.

- Pienso con claridad y mi vida fluye con facilidad.
- Me muevo libremente hacia mi futuro sabiendo que estoy seguro y protegido.
- Me amo y me apruebo. Soy perfecto y Divino.
- Estoy totalmente apoyado por el Universo. Me puedo relajar y dejar que Dios sea Dios en mi vida.
- Mi cuerpo es el templo del amor Divino de Dios, todo está bien.

Pasos

1. Relájate.
2. Pregunta: "¿Qué representa este dolor en mi vida?"
3. Crea una afirmación positiva que invierta la situación.
4. Repite la afirmación diez veces, o hasta que la sientas resonar en ti.
5. Libérala.
6. Agradece a tu poder superior.

Sanación de los chakras

Herramientas necesarias: Deseo, un lugar donde no te molesten, tabla de los chakras y los colores.

Tiempo necesario: Quince minutos.

Resultados: La limpieza de tus chakras, sensación de relajamiento general, claridad, respuestas a preocupaciones.

Los chakras son los puntos de energía en el cuerpo. La sanación de los chakras es una forma de limpiar y rejuvenecer los siete principales centros de energía de tu cuerpo. Estos centros de energía afectan tu vida cotidiana. En ocasiones, cuando están obstruidos, te sientes obstaculizado y perezoso. Cuando te limpias y energizas, te sientes en la cima del mundo.

Siéntate o acuéstate en un lugar tranquilo. Permítete relajarte. Puedes decidir relajarte a tu manera o concentrándote en tus patrones de respiración, como contar rítmicamente hasta seis mientras inhalas y luego sostener la respiración hasta la cuenta de seis, para después exhalar hasta la cuenta de seis. Prueba decir afirmaciones repetidamente como *Paz, permanece firme y comprende que yo soy Dios, Om, o Amor.*

Mientras estás en un estado relajado, visualiza luz blanca que corre desde la parte superior de tu cabeza, hasta la punta de los dedos de tus pies. Permite que tu cuerpo se inunde con esta luz mientras limpia el templo de tu cuerpo. Después de unos cuantos minutos, visualiza tus siete principales chakras como se describe en la tabla al final de este capítulo. Ve tus chakras como rosas que giran en sentido contrario a las manecillas del reloj. Comienza en la parte superior de tu cabeza y ve descendiendo. Mientras miras cada chakra, sigue el procedimiento que está a continuación. Algunas de las rosas pueden parecer secas o sucias, esto no es raro, en especial la primera vez que limpias tus chakras. Cuando hayas terminado este ejercicio, todos tus chakras estarán brillantes, limpios y girando.

Chakra de la coronilla: Localizado en la parte central superior de tu cabeza.

El chakra de la coronilla es muy susceptible a las fuerzas externas. La gente tiende a captar todo, desde formas de pensamientos negativos, hasta virus y entidades. El chakra de la coronilla, al igual que la cabeza, es muy sensible.

Ve tu chakra como una rosa. ¿Qué color ves ahí? El color correcto es violeta. Cualquier otro color está reduciendo su poder, lo que hace que estés abierto a la negatividad. Abre los pétalos de la rosa. Drena todo el color de ella, usando luz blanca. Una vez que esté vacía, llena la rosa con color violeta. Gira la rosa en el sentido de las manecillas del reloj. Esto activa la energía del chakra a una vibración superior. Después de unos cuantos minutos cierra nuevamente los pétalos de la rosa. Éste es el único chakra que necesita permanecer cerrado debido a su sensibilidad.

Chakra del tercer ojo: Se localiza en el centro de la frente.

El tercer ojo es tu visión interna, tu voz interna. Mientras limpias este chakra, la guía que buscas llega más fácilmente hacia ti. También afinas tu intuición y tu capacidad psíquica.

Ve tu chakra como una rosa. ¿Qué color ves ahí? El color correcto es azul índigo, que es una mezcla de azul y púrpura. Cualquier otro color está reduciendo tus poderes intuitivos. Abre los pétalos de la rosa. Drena todo el color de ella, usando luz blanca. Una vez que esté vacía, llena la rosa con color azul índigo. Gira la rosa en el sentido de las manecillas del reloj. Esto activa la energía del chakra a una vibración psíquica superior.

Chakra de la garganta: Se localiza en el centro de tu garganta.

El chakra de tu garganta representa tu capacidad para decir la verdad. Claridad. Cuando una persona no dice lo que tiene en mente, su chakra de la garganta se cierra, lo cual puede resultar en laringitis o dolor de garganta. La limpieza y la apertura del chakra de la garganta hacen que sea más fácil decir lo que piensas.

Ve tu chakra como una rosa. ¿Qué color ves ahí? El color correcto es el azul zafiro. Cualquier otro color está bloqueando tu claridad. Abre los pétalos de la rosa. Drena todo el color de ella, usando luz blanca. Una vez que esté vacía, llena la rosa con azul zafiro. Gira la rosa en el sentido de las manecillas del reloj. Esto activa la energía del chakra a una vibración superior de verdad.

Chakra del corazón: Se localiza en el centro de tu pecho.

Tu corazón es tu principal centro emocional. Representa el amor. El amor por uno mismo, el amor por otros, y el amor por las situaciones que la vida presenta. Cuando el amor no está fluyendo libremente en el chakra de tu corazón, las cosas no fluyen con libertad. Ser amoroso no significa que uno esté enamorado de alguien. Ámate a ti mismo y el viaje de la vida abre las compuertas para que recibas amor, oportunidades y abundancia.

Ve tu chakra como una rosa. ¿Qué color ves ahí? El color correcto es verde pasto. Otros colores bloquean tu apertura al amor. Abre los pétalos de la rosa. Drena todo el color de ella, usando luz blanca. Tal vez veas gente en el chakra de tu corazón. Haz que desaparezcan. No importa quienes sean. Amar a una persona no significa que la tengas que llevar siempre contigo. Tu corazón debe ser como una tienda 7-Eleven, siempre abierta y siempre incondicional. Una vez que la rosa esté vacía, llénala con color verde. Gira la rosa en el sentido de las manecillas del reloj. Esto activa la energía del chakra a una vibración superior de amor.

Chakra del kundalini: Se localiza a unos cinco centímetros arriba del ombligo.

Tu chakra del kundalini alberga tu energía creativa. Al limpiar y sacar cosas, desbloqueas tus jugos y fuerzas creativas. Tu creatividad es tu poder, sin importar el campo en el que te encuentres.

Ve tu chakra como una rosa. ¿Qué color ves ahí? El color correcto es el amarillo, como la luz del sol. Cualquier otro color reduce tu poder creativo. Abre los pétalos de la rosa. Drena todo el color de ella, usando luz blanca. Una vez que esté vacía, llena la rosa con amarillo. Gira la rosa en el sentido de las manecillas del reloj. Esto activa la energía del chakra a una vibración superior creativa. Las ideas comenzarán a fluir rápidamente. Los resultados creativos a las preocupaciones también surgirán con rapidez. Al estar en este estado que recientemente se ha limpiado, es excelente actuar según las ideas que surjan: pueden ser muy poderosas.

Chakra del bazo: Se localiza unos cinco centímetros debajo del ombligo.

El chakra del bazo alberga tus sentimientos emocionales y tu sexualidad. Al limpiarlo enciendes tu energía sexual. También descargas equipaje emocional. El aumento de enojo, miedo, culpabilidad y baja autoestima, todo esto, se encuentra en este chakra.

Ve tu chakra como una rosa. ¿Qué color ves ahí? El color correcto es el naranja brillante. Cualquier otro color obstruye tu poder creativo. Abre los pétalos de la rosa. Drena todo el color de ella, usando luz blanca. Una vez que esté vacía, llena la rosa con naranja brillante. Gira la rosa en el sentido de las manecillas del reloj. Esto activa la

energía del chakra a una vibración superior. Al llenar este chakra con naranja brillante invertimos las cosas negativas que a veces se albergan ahí. La energía naranja representa acción, avance. Cuando estás avanzado, ¿quién tiene tiempo para estar enojado?

Chakra de la raíz: Se localiza en el centro del área pélvica.

El chakra de la raíz es donde mantienes tus sentimientos acerca de la seguridad y tu supervivencia general en la vida. Muchas veces cuando pasas a través de una agitación financiera, o tu vida se siente amenazada en alguna forma, puedes sentir un nudo en la boca del estómago, o en tu espalda baja. Todo eso está conectado con tu chakra raíz.

Ve tu chakra como una rosa. ¿Qué color ves ahí? El color correcto es rojo radiante. Cualquier otro color está disminuyendo tu poder para sobrevivir. Abre los pétalos de la rosa. Drena todo el color de ella, usando luz blanca. Mientras limpias este centro de energía, a veces se llena de todo tipo de cosas, desde anclas, hasta vacas y parientes. Vuelve a llenar la rosa con rojo radiante. Gira la rosa en el sentido de las manecillas del reloj. Esto activa la energía del chakra a una vibración superior. Tus instintos de supervivencia rejuvenecen. Se restaura tu fuerza interior. Se renueva el cimiento de tu VIDA.

Tabla de los chakras

Chakra	Ubicación	Función de la vida	Color
Coronilla	Parte superior de la cabeza	Conciencia espiritual	Violeta
Tercer ojo	Centro de la frente	Intuición	Índigo
Garganta	Garganta	Comunicación	Azul
Corazón	Centro del pecho	Amor, abundancia	Verde
Kundalini	5 centímetros arriba del ombligo	Poder, creatividad	Amarillo
Bazo	5 centímetros debajo del ombligo	Emociones, sexualidad	Naranja
Raíz	Centro del área pélvica	Supervivencia, seguridad	Rojo

Pasos

1. Relájate.
2. Visualiza la luz blanca que va desde la parte superior de tu cabeza hasta la punta de los dedos de los pies.
3. Visualiza tus siete principales chakras como rosas.
4. Abre cada rosa y límpiala con luz blanca.
5. Llena cada rosa con el color apropiado según la tabla.
6. Gira la rosa en el sentido de las manecillas del reloj para reactivar la energía.
7. Deja abierta la rosa, excepto en el caso del chakra de la coronilla.
8. Agradece a tu poder superior.

Rejuvenecimiento de las células

Herramientas necesarias: Deseo, imaginación, un lugar donde no te molesten.

Tiempo necesario: Quince minutos.

Resultados: Rejuvenecimiento de tu mente y el templo de tu cuerpo. Desacelera el proceso de envejecimiento en tu cuerpo.

Tu cuerpo, o el *templo de tu cuerpo* como me gusta llamarlo, está formado por miles de millones de células, en la misma forma en la que las galaxias están compuestas por miles de millones de estrellas. Estas estrellas se corresponden con las células en tu cuerpo. Esta técnica de sanación, que aprendí primero con mi maestro, el hermano Ishmael Tetteh (un místico africano de Ghana, África), usa el poder de esas estrellas para empoderar y rejuvenecer tus células. Puede usarse si tienes una dolencia en particular, o si necesitas una sanación total. Si necesitas una ayuda visual, puedes usar las estrellas en la noche para guiarte.

Acuéstate o siéntate con comodidad. Permítete relajarte o quedarte inmóvil. Puedes decidir quemar incienso o prender una vela para enriquecer el ambiente. Visualiza una estrella que entra por la parte superior de tu cabeza y reemplaza una célula. Ve la luz que proviene de la estrella.

Siente su presencia. Continúa este proceso hasta que tu cabeza esté llena de luz. Visualiza las estrellas/células moviéndose en sentido contrario a las manecillas del reloj. Éste es el proceso real de sanación y rejuvenecimiento. Haz esto doce veces diciendo: "Mis células se están sanando y rejuveneciendo. Todo está bien en el templo de mi cuerpo". Si deseas hacerlo durante más de doce veces, está bien. Después de terminar, nombra en voz alta diez cosas por las que estés agradecido con tu mente. No te preocupes de que las cosas que estés nombrando tal vez no sean lo suficientemente profundas. Di lo que te venga a la mente.

A continuación pasa a tu corazón. Visualiza una estrella que entra a tu corazón y reemplaza una célula. Ve la luz proveniente de la estrella. Siente su presencia. Continúa este proceso hasta que tu corazón esté lleno de luz. Visualiza las estrellas/células moviéndose en sentido contrario a las manecillas del reloj. Di: "Mis células se están sanando y rejuveneciendo. Todo está bien en el templo de mi cuerpo". Después de por lo menos doce repeticiones, detente y nombra en voz alta diez cosas por las que estés agradecido con tu corazón.

Luego pasa a tu plexo solar, que está a unos cinco centímetros de tu cintura. Visualiza una estrella que entra a esta área, reemplazando una célula. Ve la luz proveniente de la estrella. Siente su presencia. Continúa este proceso hasta que tu plexo solar esté lleno de luz. Luego mueve las estrellas/células en un movimiento contrario a las manecillas del reloj. Mientras giras tus células di: "Mis células se están sanando y rejuveneciendo. Todo está bien en el templo de mi cuerpo". Después de por lo menos doce repeticiones, detente y nombra diez cosas por las que estés agradecido en tu vida.

Permite que las energías renovadas fluyan a través de tu cuerpo. Si estás haciendo el ejercicio en la noche, éste sería un momento excelente para irte a dormir. Llénate de un sentimiento de rejuvenecimiento y permite que el proceso continúe mientras duermes, te garantizo que te sentirás estupendo en la mañana. Si estás haciendo el ejercicio durante el día, nota lo energizado que te sientes durante el resto de tu jornada. De hecho, ¡puedes sentirte un poco entusiasmado! Éste es un excelente ejercicio para desacelerar tu proceso de envejecimiento, porque a medida que se rejuvenecen tus células, se rejuvenece tu vida. Tu cuerpo se energiza con nueva energía y vitalidad. En una base regular, este ejercicio puede cambiar tu vida.

Si hay un área en particular en tu cuerpo que tenga dolor, o necesite sanación, haz este mismo proceso para esa área. Si tu pie, tu riñón o tu estómago tienen dolor, realiza el ejercicio anterior. En esta ocasión nombra diez cosas por las que estés agradecido con esa parte de tu cuerpo. La gente ha usado esto para ayudar a sanar enfermedades. Ahora, no puedo decir que este ejercicio cure cáncer o SIDA, pero usado con cualquier tratamiento al que actualmente te estés sometiendo, debería producir mejores resultados.

Pasos

1. Siéntate o acuéstate en una posición cómoda.
2. Relájate o quédate inmóvil.

3. Visualiza las células de tu cabeza que son reemplazadas por estrellas.
4. Mueve las células en sentido contrario a las manecillas del reloj.
5. Repite doce veces: "Mis células se están sanando y rejuveneciendo. Todo está bien en el templo de mi cuerpo".
6. Nombra diez cosas por las que estés agradecido con tu mente.
7. Repite los pasos 3-6 para tu corazón.
8. Repite los pasos 3-6 para tu plexo solar.
9. Repite los pasos 3-6 para tus áreas específicas que necesiten sanación.

PARTE SIETE

MANIFIESTA TUS BENEFICIOS

HAZ QUE SURJAN TUS BENDICIONES

¡Obtienes lo que pides!

Manifestar es adquirir lo que es tuyo. Lo que tienes que comprender es que todo en el Universo es tuyo. No hay nada que no puedas tener o que no puedas conseguir legalmente. Desde la más pequeña hasta la más grande de las cosas, todas son tuyas por derecho de nacimiento divino. La cuestión es: *¿estás preparado para tenerlas todas?*

Cuando estás empoderado, estás abierto a vivir la *buena vida*. Tener personas y posesiones en tu vida que te hacen feliz y te producen satisfacción; la comprensión de que todas sus necesidades están cubiertas. Al estar empoderado sabes que antes de que puedas manifestar lo que quieres en tu vida, tienes que hacer espacio para ello en tu conciencia. Muchas personas piensan que pueden poner pan fresco en pan enmohecido y que el pan fresco no será afectado. Finalmente, el moho se extenderá. Es importante liberar lo que enmohece tu vida, las cosas que están estancadas o que producen caos. Para que se manifiesten exitosamente, tienes que asegurarte de hacer espacio en tu conciencia para hacer que surja lo que quieres. Posiblemente tengas un problema, si tu mente y tu cuerpo están abarrotados con viejos patrones, pensamientos y sistemas de creencias que son contradicciones con lo que quieres que se manifieste. Ésta es la razón por la que es importante perdonar, liberar, limpiar y sanar antes de que se manifieste algo nuevo en tu vida.

Por supuesto, si estás leyendo este capítulo, ya has hecho lo que era necesario en cuanto a hacer espacio para la manifestación divina. Estás en la última etapa para empoderarte, para reclamar lo que es tuyo.

Se deben seguir ciertas reglas al comenzar a hacer que se manifiesten o estarás trabajando en vano.

1. **Saber lo que quieres.**

   Si necesitas una cantidad específica de dinero, pídela. No es suficiente decir que quieres más dinero. Más dinero pueden ser diez pesos más de lo que tienes ahora. Si es seguridad financiera lo que estás buscando, pídela, pero comprende que puede llevar un poco más de tiempo, dependiendo de tu nivel de conciencia. Recuerda, los milagros pueden suceder cuando estás concentrado. Es importante pedir el resultado final de lo que quieres. Si es un trabajo, ¿qué producirá ese trabajo? ¿Seguridad financiera? ¿Un lugar para hacer uso de tus capacidades? ¿Un lugar para aprender una nueva habilidad? ¿Un lugar para hablar con Dios?

2. **Saber cómo pedirlo.**

   Sea cual sea la técnica que uses, ya sea una oración, una visualización o la magia, ten claro qué es lo que estás haciendo. Comprende perfectamente los pasos y síguelos al pie de la letra.

3. **Saber a quién le estás pidiendo.**

   Algunas personas hablarán con el diablo, ¡si creen que puede conseguirles un trabajo! Ten cuidado respecto a cuál y de quién es el sistema de creencias que estás siguiendo. No le hables a Dios o a una Deidad en la que no creas. Estás invitando a una energía extraña a entrar en tu vibración; eso no es bueno. En términos simples, es como invitar a tu casa a un extraño que no se irá, a menos que te destruya y posiblemente destruya a todos los que están a tu alrededor. Sé claro en tu sistema de creencias y en quién crees.

4. **Estar preparado para recibirlo.**

   Prepárate diariamente para recibir aquello que dices que quieres. Sabes que lo mereces. Sabes que puedes manejarlo. Sabes que realmente lo quieres. Si estás pidiendo algo que no crees que llegues a tener, no desperdicies tu tiempo hasta que cambies tu conciencia al respecto. Si no crees que lo mereces, no lo obtendrás. No pidas una casa nueva si no crees que puedas pagar la hipoteca. No pidas tener una nueva relación si quieres perder quince kilos antes de llegar a conocer a alguien, o si no has dejado ir a tu última pareja.

Tener claridad sobre esos puntos puede ayudarte a manifestar cualquier cosa en tu vida. Mientras más concentrado estés en tu mente acerca de lo que crees, más abierto estarás para recibirlo.

Por ejemplo, tuve a una estudiante, Rebeca, que tenía que mudarse. Ella y su familia estaban rentando una casa y el propietario la vendió. Era época de Navidad, sus ingresos eran limitados y aunque ella sabía que el propietario estaba tratando de vender la casa, ella no había hecho una planeación por anticipado. Le sugerí que tuviera claridad respecto de lo que ella necesitaba en ese preciso momento. La orienté hacia el ejercicio titulado "Veintiuno", ya que yo sabía que ella estaba trabajando con una limitación de tiempo. Rebeca avanzó una vez que tuvo claridad acerca del tipo de casa que ella necesitaba, cuánto podía pagar y cuál era su fecha límite. Además recitaba sus deseos tres veces al día con convicción mientras empacaba y buscaba un nuevo hogar.

El día catorce, ellos comenzaron a mudarse a un nuevo lugar, que estaba dentro del nivel de precio que querían y era mucho mejor de lo que se imaginaban. Ella había concentrado sus pensamientos hacia lo que deseaba alcanzar. Ella no dejó espacio para el fracaso, pero sí lo dejó para que surgiera lo que ella quería, o algo mejor de lo que podía imaginar. Recuerda hacer lo mismo cuando plantees tus intenciones.

Aquello en lo que piensas,
es lo que produces.

EJERCICIOS DE MANIFESTACIÓN

Magnetizar tus beneficios

Herramientas necesarias: Tu mente creativa.

Tiempo necesario: Quince minutos al día durante siete días.

Resultados: Sembrar las semillas necesarias para recibir tu bien.

Magnetizar tu bien es una técnica simple, pero muy poderosa. Cuando se usa correctamente, puede producir resultados rápidos. Parte de la magnetización implica usar técnicas de la visualización. Primero, es importante ser capaz de ver lo que quieres, incluso si no estás seguro de cómo se manifestará. El segundo aspecto importante de magnetizar lo que quieres, es ser capaz de *sentirlo*. Sí, ¡sentirlo!

¿Cómo se siente estar en un auto nuevo? ¿Cómo se siente la piel de los asientos? ¿Cómo se siente el volante? Cuando conduces por el camino en tu auto nuevo, ¿cómo se siente? Si puedes sentir algo, entonces puedes tenerlo. Si nunca has tenido un auto nuevo, va a una distribuidora de autos, haz la prueba de manejo en uno, y sigue haciendo pruebas de manejo hasta que te sientas cómodo en uno. Si se trata de una casa nueva, ve a eventos de casa abierta. Si se trata de un trabajo, recuerda cómo se siente conseguir un trabajo que realmente quieres. No importa si tienes que remontarte a cuando tenías catorce años, siéntelo.

Si lo que quieres es algo que nunca has tenido, no dejes que eso te detenga. Ahí es donde entra tu imaginación. Todos hemos visto personas felizmente casadas en el cine o en la televisión, y hemos leído acerca de ellas en libros. Simplemente sustituye su rostro por el tuyo, ¡y que siga la película!

¿Cómo se siente tener cubiertas todas tus necesidades? ¡Se siente bien! Todos hemos pagado cosas con dinero en efectivo y nos ha quedado dinero sobrante. Ése es el comienzo de la abundancia. Ahora, multiplica esa sensación por cien, por mil, por un millón. Permítete sentir cosquilleos en el cuerpo con la sensación de tener lo que quieres. ¿Cómo se siente? ¡Se siente espléndido!

¿Cómo se siente ganar? ¿Tener confianza? ¿Ser feliz? ¿Estar enamorado? Sea lo que sea, tómate tu tiempo y céntrate en ello. No importa si tu deseo es material, espiritual o emocional, hay una sensación unida a eso.

Una vez que tienes en mente lo que quieres y cómo se siente tenerlo, siéntate y relájate. Haz que penetre en tu mente aquello que quieres obtener. Ve eso con todos sus detalles. Respira profundamente y mientras exhalas, permítete comenzar a sentirlo. Siente el trabajo, el auto nuevo, la casa nueva, o la nueva relación. Piensa que nadie puede decirte que no. Pregúntate: "¿Cómo se siente tener lo que quiero?" Entra en los detalles. Invierte tiempo en ello. Si se trata de una casa, camina por ella y *siente* cada cuarto. Si se trata de completar un libro, imagina cómo se *siente* saber que has escrito un libro de altas ventas. ¿Cómo

se *siente* lograr una venta importante? ¿Ser aceptado en la universidad o para estudiar un posgrado?

Diviértete con este ejercicio. Llévalo al extremo. Después de diez minutos comienza nuevamente el proceso de la respiración. Inhala hasta la cuenta de cuatro sintiendo la energía de tu deseo. Mantén tu deseo hasta la cuenta de cuatro. Libera tu deseo a la cuenta de cuatro, sabiendo que para tenerlo debes estar dispuesto a dejarlo ir.

Cuando no permites que te censuren en el momento de la satisfacción total, abres la puerta para que se manifieste lo que ya existe en tu vida en un nivel superior. Sí, ya es tuyo. Mucha gente no se da cuenta de que cualquier cosa que llegue a su mente llega con la capacidad de manifestarse. El Universo no pondría una idea en tu mente que no pudieras tener.

Si al principio no eres capaz de sentir tu deseo, continúa trabajando sobre eso. Con mucha frecuencia tus miedos son lo único que te separa de lo que quieres en la vida. Pregúntate: *¿De qué es de lo que tienes miedo?* No te preocupes acerca de cómo pagarás por tu deseo, o si realmente puedes hacer el trabajo que estás tratando de manifestar. Si crees que puedes tenerlo, lo tendrás en el Orden Divino. Si puedes sentirlo, es tuyo.

Pasos

1. Ten claro lo que quieres que se manifieste.
2. Siéntate en una posición relajada.
3. Lleva a tu mente lo que quieres obtener.

4. Visualízate en el momento.
5. Siente tu deseo. ¿Cómo se siente tener lo que quieres?
6. Inhala a la cuenta de cuatro, sintiendo la energía de tu deseo. Mantén tu deseo hasta la cuenta de cuatro. Libera tu deseo hasta la cuenta de cuatro.

Veintiuno

Herramientas necesarias: Tu mente creativa, papel y pluma para escribir.

Tiempo necesario: Quince minutos al día durante veintiún días.

Resultados: Claridad, obtener tu deseo.

Puedes cambiar un patrón a nivel celular de tu cuerpo en veintiún días. También puedes sembrar un deseo a nivel celular en veintiún días. ¿Qué significa esto? Significa que puedes dejar de fumar en veintiún días, o puedes encontrar una pareja, un hogar, o un trabajo en veintiún días. ¿Suena demasiado bueno para ser verdad? Bueno, pues no lo es, pero requiere trabajo y dedicación.

La parte más difícil de este proceso es clarificar lo que quieres. Con mucha frecuencia dices que quieres algo, por ejemplo una casa. ¿Pero sabes qué tipo de casa quieres? ¿Cuántos cuartos o baños quieres? ¿Dónde está ubicada la casa? ¿Qué tal son los vecinos? Ya sea que te des cuenta o no, puedes crear el tipo de hogar que quieres y el ambiente en el que quieres vivir. Puedes crear un trabajo, un auto, o una nueva forma de pensar, en veintiún días o menos. Lo que muchas personas no comprenden es que no se te da una idea sin los medios para lograrla. La casa que creas en tu mente está allá afuera. El trabajo está allá afuera. Tu pareja perfecta está allá afuera.

Se requiere claridad, una actitud de apertura y disciplina para obtener cualquier cosa que quieras. Este proceso requiere los mismos elementos; pero de hecho es más divertido. En este ejercicio, te conviertes en un artista. Estás diseñando el estilo de vida que quieres. El poder está en tu pluma para escribir. Al definir los pasos para este ejercicio, trataré de dividirlos en categorías. Date cuenta de que no hay límite en la enumeración que quieras. Y ya que estás en control, puedes cambiar cualquier cosa en tu lista en cualquier momento.

Cuando estés preparado, ponte cómodo. Prepara una bebida de tu elección. Consigue un bloc grande de hojas amarillas y una pluma o un lápiz. Tu primera afirmación en la parte superior de tu página define lo que quieres. *Ahora estoy viviendo en una casa con las siguientes características. Ahora estoy en una situación de amor mutuo. Ahora estoy viviendo/estoy casado(a) con un hombre o una mujer con las siguientes características. Ahora estoy trabajando en una compañía con las siguientes características. Ahora estoy viviendo una vida con las siguientes cualidades.*

Si estás buscando una casa o un departamento, comienza describiendo tu casa. Mi casa tiene tres cuartos y dos baños. Pide espacio para el ropero, o una oficina si la necesitas. ¿Qué tipo de cocina quieres? ¿Cuál es el tamaño de los cuartos? ¿Necesitas un patio trasero o un garaje? Sé claro. Camina por tu casa o por la casa de otra persona para sentir lo que quieres o lo que no quieres.

Si estás pidiendo un trabajo, no sientas que tienes que darle un título al trabajo. Es más importante describir el puesto. ¿Qué estarás haciendo diariamente? ¿Con qué tipo de personas estarás trabajando? ¿Cuál es el rango de sueldo que se te pagará? Digo rango para que no te limites, o te elimines del trabajo. Al describir tu puesto, permítete espacio para crecer. ¿Qué tan importante es la distancia entre tu trabajo y tu hogar? ¿Es necesario que tenga cerca un centro para el cuidado de los niños? Piensa en lo que es importante para ti y escríbelo.

Si es una pareja la que buscas, comienza desde el exterior y luego ve al interior. Si es importante su apariencia, su estatura y su peso, entonces así exprésalo. Asegúrate de decir que la persona sea soltera y que quiera una relación monógama. ¿Son importantes los hijos? ¿Quieres tener cosas en común? ¿Está bien que haya semejanzas, así como diferencias entre ustedes? ¿Tienes un pasatiempo peculiar que sientes que tu pareja debe compartir? Toma en cuenta los deportes, la política y la religión. ¿Importa el campo en el que trabajen o su posición financiera? ¿Es importante que viva cerca de ti? Escribe acerca de las cosas que harán juntos, de lo que tú aportarás a la relación y la forma en la que eso se apreciará.

Si se trata de una nueva conciencia, expresa tu realidad. *Ahora me doy cuenta de que soy un magnífico hijo de Dios. Al saber esto, sé que están cubiertas todas mis necesidades. Sé que tengo una salud divina.* Habla de tu vida en la forma en la que deseas que sea, de tus interacciones con los amigos, la familia y las relaciones de amor. De tu trabajo y tus proyectos de servicio, tus finanzas, esperanzas, sueños y deseos. Habla de todo ello como si estuviera sucediendo ahora y nada pudiera detenerte. Quiero advertirte que esto puede producir un cambio profundo en tu vida porque te estás alineado con Dios durante veintiún días consecutivos.

Una vez que has completado tu lista, revísala respecto a su claridad. ¿Tiene sentido lo que estás pidiendo? Si quieres un auto que tenga una antigüedad menor a cuatro años, posiblemente puedas conseguirlo por mil dólares, pero deberías estar dispuesto a pagar cuando menos cinco. Por otra parte, no escribas que estás dispuesto a pagar dos mil pesos al mes por la renta si sabes que la zona que te acomoda es de ochocientos pesos. ¿Realmente importa qué tan alta es tu pareja, cuánto pesa o puedes sólo decir que tenga una "excelente salud" o "la estatura perfecta para mí"? Hay algunas cosas en las que no debes aceptar menos de lo que quieres y sólo tú sabes cuáles son. Recuerda, estás tratando de manifestar lo que quieres, no lo que otra persona quiere para ti. Tu petición es privada. No es para que la juzguen tus amigos o los miembros de tu familia. Si tú y tu cónyuge están buscando una casa o un auto, deben desarrollar juntos todo el proceso, pero sepan que también pueden desarrollarlo individualmente y de todas maneras obtener excelentes resultados.

Tu petición no debe escribirse como una lista. Puedes escribirla en forma de un párrafo o como una historia. No hay una forma fija para completarla. Es cuestión de lo que funcione para ti. Cuando hayas terminado completamente tu lista, escribe *Esto o algo/alguien mejor.* Luego agradece a Dios, al Universo, o al sistema de creencias que hayas escogido.

Cada día lee tu lista tres veces. Léela como lo primero que hagas en la mañana cuando tu mente está despejada. Léela, luego visualízala. Mírate en ese auto, en ese trabajo, en tu casa, o con tu pareja. Luego déjalo ir. Haz este proceso de nuevo al mediodía y antes de irte a la cama en la noche. Hacerlo a la hora de dormir permite que tus deseos pasen de tu lista a tu mente subconsciente mientras descansas. Al dormir, tu subconsciente se vuelve más claro respecto a aquello que quieres.

Antes de que transcurra un periodo de dos semanas comenzarás a ver manifestaciones de lo que quieres. Conocerás a las personas que están realizando el trabajo que inventaste. Verás casas que son similares a las que quieres. Incluso comenzarás a conocer gente que tiene rasgos similares al de la pareja que estás tratando de atraer a tu conciencia.

Es importante no intentar usar esta técnica en una forma negativa. No puedes usarla para conseguir una pareja que no esté interesada en ti. No puedes usarla para conseguir que otra persona te venda su auto a un precio más bajo. Ni puedes usarla para obtener el trabajo o la casa de tu jefe. Tu beneficio está allá afuera; no trates de tomar lo que es de alguien más. Reclama lo que es tuyo.

Esta técnica funciona. Siempre le digo a la gente que tenga cuidado con lo que pide, ¡porque lo obtendrá! No pidas una relación comprometida si no estás preparado para una. No pidas un nuevo lugar si no te interesa mudarte. Mientras trabajas en tu petición, comienza a prepárate para recibirla. Obtén ropa para tu entrevista de trabajo, o para tu primera cita. ¿Estás listo para tu beneficio? ¡Prepárate!

Pasos

1. Escribe la afirmación de tu deseo.
2. Recítala tres veces al día. Que sea lo primero que hagas en la mañana, al mediodía y antes de que te vayas dormir en la noche.
3. Recita tu afirmación por veintiún días.

Manifestación de las velas

Herramientas necesarias: vela verde de siete días, agua (de preferencia agua bendita, pero no es obligatorio), toalla de papel desechable, palillo, cerillos, papel y pluma para escribir.

Tiempo necesario: Quince minutos al día durante siete días.

Resultados: Obtener tu deseo.

Las velas son un signo físico de la oración continua. Si alguna vez has estado en una iglesia católica, verás velas encendidas, incienso que se quema y oraciones en los bancos para sentarse. Todas esas cosas pueden ayudar a un individuo para que se manifieste un deseo, ya que producen concentración.

Al usar una vela como instrumento para la manifestación, déjame asegurarte que la vela no obtendrá el deseo para ti; la energía que está detrás de tu deseo es la que lo hace. La práctica de usar una flama de cierto tipo para acompañar la oración, es universal y antigua. Hay diferentes colores de velas que se venden en las tiendas. Cada color tiene un significado y una energía que funciona con la vibración de ese color.

Tabla de colores de las velas

Azul:	Sanación, serenidad, perdón
Verde:	Prosperidad, amor, equilibrio, salud y manifestación
Naranja:	Atracción, alegría, entusiasmo
Rosa:	Amor incondicional, amistad
Púrpura	Protección espiritual, sabiduría
Rojo:	Pasión, fortaleza, vitalidad
7 colores:	Sanación de chakras, purificación
Blanco:	Pureza, paz, bendiciones
Amarillo:	Claridad, creatividad, unidad

Prefiero usar velas verdes porque representan el equilibrio y cuando tienes equilibrio en tu vida, lo tienes todo.

Antes de comenzar, ten en cuenta un lugar para poner la vela, donde no la perturbarán, ni será un peligro para tu hogar. Si tienes un altar, ése es el lugar ideal para ella, pero también podría servir una mesa, un tocador o un alfeizar (parte baja de una ventana). Simplemente asegúrate de que no vaya a causar ningún daño.

Escoge aquello que quieras que la vela represente. Si es actividad en tu carrera, dilo así. Si es la sanación de una relación o sencillamente se trata de dinero, esto también está bien. Escríbelo en un papel, pero recuerda: ¡sé claro! Si necesitas $300.00, reclámalos. Si estás buscando un trabajo y quieres un impulso adicional, di: *en el Orden Divino ahora tengo el trabajo en la compañía XYZ como Director de lo que sea*. De nuevo, no trates de usarlo para hacer que despidan a alguien y obtener así su trabajo; no funcionará. Ahora tengo el dinero completo para mi renta.

Juan y yo ahora nos hablamos y las cosas están mejor que nunca. En el Orden Divino, mi operación es un éxito. No tengo estrés. Ahora he encontrado una nueva casa. Nota que todas estas afirmaciones se dicen en presente. Ahora yo tengo...

Es importante escribir o expresar en presente lo que quieres. Piensa que lo que estás pidiendo es algo que no sólo mereces, sino que exiges que Dios, el Universo (o como quiera que desees llamar al infinito que trabaja a través de ti) te lo revele. Ese poder está ahí para proporcionarte los deseos de tu corazón, pero la claridad es la clave. También nota que menciono el Orden Divino en algunas de las intenciones. El Orden Divino te da espacio para que sucedan los milagros. Te quita el control y se lo da a tu poder superior, sólo en caso de que lo hayas olvidado. También se asegura de que el resultado sea el mejor resultado posible, ya sea que te des cuenta o no.

Mientras continúas con este proceso, piensa sólo en lo que quieres que se manifieste. Humedece la toalla de papel y limpia la vela. Asegúrate de limpiar la parte interior del vaso y la superficie de la vela. No humedezcas el pabilo.

Con el palillo, escribe tu deseo en la superficie superior de tu vela, siguiendo el sentido de las manecillas del reloj. Si se te acaba el espacio, comienza un círculo interior.

El siguiente paso es el más importante. Aquí es donde sellas tu intención. Sostén la vela en tus manos. Pon una mano en la parte superior de la vela y la otra en la parte inferior. Toma unas cuantas respiraciones profundas y relájate, pero mantente concentrado en tu deseo. Recita lo siguiente:

Dios Padre-Madre (o Espíritu de tu elección), convoco a los santos y a los ángeles, para que me rodeen y oigan mi deseo. Sé que todas mis necesidades están cubiertas. Sé que merezco todas las bendiciones del Universo, de manera que en mi solicitud para que se manifieste (expresa tu deseo), estoy reclamando lo que es mío y lo estoy llamando para que venga al reino físico. No hay obstáculos, impedimentos o limitaciones en Dios, por lo tanto (expresa tu deseo) es una realidad bendita. Se hace en el Orden Divino y lo agradezco. Sé que al encender esta vela los santos y los ángeles son enviados para traerme el deseo de mi corazón y estoy agradecido con ellos por su trabajo a mi nombre. Gracias a ti, Dios, gracias a ustedes los santos y los ángeles, gracias a ti Universo.

Es importante que hables en un tono como si lo que estuvieras pidiendo ya fuera tuyo. Lo que estás pidiendo es algo que mereces. Algo que quieres que manifieste en tu vida Dios, el Universo, o como sea que decidas llamar a tu poder superior. Cuando pidas lo que quieres, no hables en un tono carente de fuerza, o como si estuvieras suplicando. Exige lo que quieres. Es como cuando encargas comida. Pide, sabiendo que eso aparecerá y que estás dispuesto a pagar el precio por tenerlo. Ése es un punto muy importante. Está dispuesto a pagar el precio de lo que quieres. Si estás pidiendo un trabajo, estás dispuesto a salir y a continuar buscándolo. Si tu solicitud es para sanar una relación, tienes que estar dispuesto a hacer la primera llamada. Con mucha frecuencia lo que estás obteniendo no es un milagro que caiga del cielo, sino un apoyo espiritual para salir allá y obtener lo que quieres.

Cuando enciendas la vela, piensa acerca de lo que deseas y que tu oración es respondida. Repite la oración cada día hasta que la vela se consuma. Si obtienes tu deseo antes de que transcurran los siete días, no apagues la vela. Continúa orando, pero ahora haz que tu oración sea una oración de agradecimiento. Si tu deseo no se ha manifestado en siete días, no significa que no se esté volviendo una realidad. Está en movimiento. No necesitas continuar encendiendo velas, sólo da las gracias.

Si no sientes que tu deseo esté surgiendo, revisa tus intenciones. ¿Qué es lo que estás pidiendo y por qué? ¿Creíste que podías tener lo que querías cuando empezaste? Si no crees que puedes tenerlo, no lo obtendrás. No olvides que encender una vela no compensa la falta de seguimiento. Si necesitas hacer llamadas, escribir cartas, buscar una casa o un trabajo, hazlo. Recuerda, permanece apoyándote en tu verdad de que lo que deseas es tuyo.

Pasos

1. Piensa en lo que representa la vela.
2. Limpia la vela.
3. Escribe tu intención en la superficie superior de la vela.
4. Ora tu intención mientras sostienes la vela.
5. Enciende la vela.
6. Repite la oración cada día hasta que se consuma la vela.

Equipo de oración

Herramienta necesarias: Un corazón abierto, dos o más personas.

Tiempo necesario: Quince minutos al día.

Resultados: Obtener tu deseo.

Nunca subestimes el poder de la oración. Cuando dos o más personas se reúnen teniendo un mismo pensamiento, es sorprendente lo que pueden manifestar.

Dios o tu Poder Superior sólo conoce lo afirmativo. Lo que pides desde el corazón, con la intención correcta, lo recibirás. Lo que le dices a Dios, Dios lo acepta. Si dices que estás en bancarrota, Dios dice que sí. Si dices que todas tus necesidades están cubiertas, Dios dice que sí. Es fácil, pero a veces necesitamos asistencia. Con un compañero de oración o un equipo de oración somos capaces de mantenernos mutuamente apoyados en la verdad, tu verdad, la verdad de que lo que deseas ya es tuyo. La verdad de que mereces lo que estás pidiendo y más. La verdad de que lo que quieres está en tu interior y que tienes la capacidad para hacer que surja en tu vida.

Al formar tu equipo, no selecciones a cualquiera. Es importante que las personas que elijas crean en el poder de la oración. La oración es simplemente una petición o una solicitud a Dios o a tu Poder Superior de lo que te gustaría ver que se materializara en tu vida. Muchos sistemas de creencias incorporan el uso de compañeros o practicantes de la oración para ayudar a los individuos en la manifestación de la oración.

Es importante saber unas cuantas cosas cuando estás orando. Las llamo las cinco preguntas.

- **Primera pregunta: ¿A quién le estás orando?**

  Al principio de tu oración aclara a quién le estás orando, ya sea que se trate de Dios, Buda, el Dios Padre-Madre, el Universo o tu Poder Superior.

- **Segunda pregunta: ¿Para qué estás orando?**

  Sé tan claro como sea posible cuando estés haciendo tu solicitud. Si necesitas sanación, dilo así. Pero también menciona dónde necesitas la sanación. Mientras más claro seas con tu solicitud, más claros serán tus resultados. Y nota que dije solicitar y no pedir. La energía detrás de solicitar es más fuerte que la de pedir. Cuando vayas a comprar zapatos, solicita ver los zapatos de un cierto tamaño y espera que los tengan en existencia. Cuando pides, es importante no rogar. Uno podría decir: "Ay, por favor, Dios, ¿puedo tener una bicicleta nueva?". Cuando deberías haber dicho: "Solicito una nueva bicicleta para que pueda continuar viajando a tu nombre".

- **Tercera pregunta: ¿Por qué necesitas aquello por lo que estás orando?**

  ¿Estás pidiendo un auto nuevo sólo para seguirle el paso a los vecinos, o tu vida se pone en peligro cada vez que te pones al volante de tu auto actual? Tal vez necesites un vestido o un traje nuevo para una entrevista, o para una cita importante, eso está bien. Pero no desperdicies el tiempo de Dios pidiéndole ganar la lotería. Haz que tus intenciones sean puras.

Cuarta pregunta: ¿Cuándo necesitas que se dé una respuesta a tu oración?

Si hay una fecha límite en tu vida, eso debe ser parte de tu oración. Al poner una fecha límite realista a tu oración, no estás ayudando a Dios, te estás tú, la energía por tu deseo estará concentrada. Por supuesto, es mejor no esperar hasta el último minuto. La gente tiene la costumbre de esperar hasta el final para pedir ayuda. Yo digo que llames antes de que transcurran los primeros quince minutos. Si te están desalojando, esto significa que no has pagado la renta durante meses. ¿Para qué esperar a que la autoridad llegue a tu puerta para comenzar a orar? Al primer indicio de un problema, haz una llamada superior. Hazlo por el Orden Divino, si no lo haces por alguna otra razón. Esto producirá claridad, para que puedas pensar correctamente. Si no hay una fecha límite definida respecto a lo que deseas, de todas maneras puedes fijarte una. ¿Quieres alcanzar tu meta en una semana, en un mes o en un año? Puedes orar durante un año para que llegue a ti la casa correcta, el trabajo correcto o la pareja correcta. Por supuesto, no te sorprendas si recibes la respuesta a tu oración en menos tiempo.

⁂ Quinta pregunta: ¿Dónde está tu fe?

Si no tienes fe al cien por ciento en aquél al que le estás orando, estás desperdiciando tu tiempo. La Biblia habla de la fe del tamaño de una semilla de mostaza. Muchas personas no entienden lo que esto realmente significa. Durante mucho tiempo yo tampoco lo entendía. Finalmente me desesperé y compré algunas semillas de mostaza y las examiné. Son pequeñas bolas concentradas. Lo que creo que la Biblia está tratando de decir es que si puedes tener una fe concentrada tan pequeña como una de esas semillas, eso es suficiente. Para expresarlo a una escala más grande, mira una pelota de beisbol. Es una masa sólida. Cuando la lanzas, no se desbarata. Cuando golpea contra una pared, rebota. Cuando la golpeas correctamente, es un jonrón. ¡Eso es fe! Cuando te sorprenden tremendamente, no te desbaratas, sigues apoyándote en tu verdad. Cuando golpeas contra una pared, no te desbaratas, rebotas con renovada fe. La recompensa por la fe concentrada es recibir aquello por lo que estás orando o algo mejor. Eso es un jonrón. La fe no es algo que ves. No ves el viento, pero sabes que está ahí y sabes que es poderoso. La fe tiene fe en la fe.

Muchas veces cuando oímos orar a la gente, dan discursos tan largos que los apartan del fondo de la solicitud. Eso no es necesario. Está bien hacerlo, pero si no estás acostumbrado a orar, no lo hagas en exceso. Cuando comiences tu oración, es importante agradecer. Agradecer por todo en tu vida, así como también por tu propia vida. Toma un momento y siente la presencia de Dios, o de tu Espíritu Superior dentro de ti y en torno a ti. Entonces haz tu solicitud. Después de que la hayas hecho, toma otro momento y percibe cómo se siente que le den respuesta a tu petición. Ancla esa sensación profundamente dentro de ti. Luego agradece por su resultado perfecto, y termina tu oración con un Amén, Así es, Así sea, o con cualquier cosa que sientas que es apropiada.

La importancia de tu equipo de oración es que todos estén de acuerdo en que tú tengas aquello por lo que estás orando. Si ellos no creen en lo que quieres, no deberían estar en el grupo. Sólo necesitas a personas que tengan la misma opinión. Personas que quieren que tengas lo que tú quieres y viceversa. Ya sea que se trate de un trabajo nuevo, una casa nueva, o un resultado perfecto en determinada situación, tu equipo tiene que mantenerse unido.

Es importante fijar una hora y un lugar para que tu equipo se reúna. Lo que es grandioso acerca de tu oración es que se puede llevar a cabo en cualquier parte, en persona o por teléfono. Puede durar cinco minutos o cinco horas. Tiene todo que ver con concentrarse y con el esfuerzo concentrado. La oración es poderosa. Unas cuantas palabras recorren un largo camino y pueden lograr resultados excelentes.

Plan general de la oración

- **Saludo:** Dios, Espíritu Divino, o como sea que decidas llamar a tu fuente.
- **Agradecimiento:** Vengo a ti para agradecerte por mi vida y por las cosas en mi vida. Nombra cuando menos diez cosas por las que estás agradecido.

- **Presencia:** Toma un momento y siente la presencia de Dios, o de tu Espíritu Superior dentro de ti y en torno a ti.
- **Solicitud:** Sabiendo que todas las cosas son posibles a través de tu espíritu, yo solicito (cualquier cosa que sea lo que quieres) por las siguientes razones.
- **Fecha límite:** Si hay una fecha límite, dilo así. Si no, pide el Orden Divino.
- **Aceptación:** Permítete apreciar lo que se sentiría si se le diera respuesta a tu oración.
- **Gracias:** Da las gracias por la respuesta a tu oración.
- **Actúa como si:** Camina en la dirección del trabajo de tu oración. Actúa como si ya se le hubiera dado respuesta a tu oración.

Pasos

1. Selecciona tu compañero o tu equipo de oración.
2. Escoge una hora y un lugar para que se reúnan.
3. Ve a través de las cinco preguntas.
4. Ve a través de las etapas del plan general de la oración.

- Saludo
- Agradecimiento
- Presencia
- Solicitud
- Fecha límite

- Aceptación
- Gracias
- Actúa como si

Manifestación del sueño

Herramientas necesarias: Mente, vaso de agua, papel y pluma para escribir.

Tiempo necesario: Quince minutos.

Resultados: Obtener tu deseo, claridad.

Es sorprendente lo que puedes hacer cuando dedicas tu mente a eso. No importa si estás dormido o despierto, tu energía concentrada realizará lo que ordenas que haga. "Aquello en lo que piensas, es lo que produces", es una expresión que siempre uso porque me recuerda que lo único sobre lo que tengo poder es sobre mis pensamientos. Nadie se mete en tu cabeza a menos que se lo permitas, ni te hace enojar a menos que les des ese poder. Un buen tiempo para empoderarte es mientras estás dormido. ¿Suena simple? ¡Lo es!

Antes de que te vayas a dormir en la noche, pon tu mente a trabajar sobre lo que quieres para mañana, para el siguiente mes, o para tu vida. La principal tarea es tener claridad acerca de lo que quieres trabajar en esa noche. Sugiero que comiences a un nivel pequeño, mientras aumentas tu confianza en el proceso. Esto también te dará tiempo para perfeccionar tu técnica.

¿Hay una pregunta que necesitas que se responda? ¿Quieres tener confianza para tu entrevista al día siguiente? ¿Quieres despertar a una cierta hora? ¿O sólo quieres despertar sintiéndote muy bien? Puedes trabajar también sobre tus emociones? ¿Quieres liberar tu miedo a volar? ¿Quieres ser más amoroso? ¿Quieres mejorar tu relación con Dios o con un compañero de trabajo? Todo esto, además de mucho más, puede lograrse sentándote en uno de los lados de tu cama y clasificando las cosas. Una vez que has decidido lo que quieres producir o liberar, escríbelo en una hoja de papel y colócala en la mesita de noche. Luego concéntrate en tu pregunta o afirmación durante unos cuantos minutos. Recuerda, no puedes usar esta técnica para obligar a que otra persona se sienta o piense en una forma en particular acerca de ti. Pero puedes mejorar el tipo de energía que irradias. Esto cambiará la forma en la que la gente te ve, debido a que tú serás diferente de adentro hacia afuera.

Al concentrarte en lo que quieres manifestar, mírate en el resultado. Si se trata de una entrevista de trabajo, mírate ahí, cómodo e irradiando confianza. Piensa que eres perfecto y divino justo como eres. Si es una emoción, mírate irradiando esa emoción. Ve el amor, la paz y la alegría fluyendo a través de ti. Puedes usar colores para representar las palabras si esto te ayuda a visualizarlo mejor. Si hay una pregunta que quieres que se conteste, expresa la pregunta. No trates de insinuar cuál respuesta quieres, exprésala con tanta claridad como sea posible.

El siguiente paso es igualmente simple. Bebe medio vaso de agua y vete a dormir. Sí, ¡eso es todo! El agua es para ayudarte a digerir tu forma de pensamiento. Cuando despiertes, deberías sentir la diferencia en tu cuerpo. Bebe la segunda mitad del agua cuando te levantes en la mañana para activar el proceso.

En caso de una pregunta, a veces este proceso es un poco diferente. La respuesta a la pregunta puede llegar a ti en tus sueños. También puede estar ahí instantáneamente al despertar. Sin embargo, a veces llega durante el día. Ten confianza en que reconocerás la respuesta cuando la oigas. Al despertar, toma tu papel y escribe lo primero que te venga a la mente con respecto a tu pregunta o afirmación. Incluso si estás pidiendo confianza o una señal acerca de si debes hacer algo o no, vuelve a examinar tu pregunta y escribe lo primero que venga a tu mente. La clave no es dudar o cuestionar lo que sientes. Confía en el proceso.

Pasos

1. Decide sobre qué quieres tener una respuesta, o qué quieres que se manifieste.
2. Concentra tu solicitud durante unos cuantos minutos.
3. Bebe la mitad de un vaso de agua.
4. Vete a dormir.
5. En la mañana bebe el resto del agua.
6. Escribe lo primero que te venga a la mente con respecto a tu pregunta.

Sistema de apoyo angelical

Herramientas necesarias: Deseo, imaginación.

Tiempo necesario: Quince minutos.

Resultados: La manifestación de tus deseos.

Este ejercicio del ángel es otra técnica simple que ha tenido muchas variaciones con el transcurso de los años, con respecto a la forma apropiada para hacerlo. Algunas personas creen que debes estar en un ambiente en particular para hablarles a los ángeles, o que debes esperar a una cierta hora del día. Otros tienen altares o cajas de ángeles. Luego, están aquellos que creen que le tienes que hablar a un ángel en particular para tus necesidades, como el arcángel Miguel, Rafael o tu ángel de la guarda. Esto es cierto, pero es limitante. Puedes hablarle a cualquier ángel, en cualquier parte, en cualquier momento, acerca de cualquier cosa. No hay límites a lo que un ángel puede hacer. Están aquí para servir y les encanta servirte. Les encanta ver que obtienes lo que quieres en tu vida. Desde un lugar de estacionamiento, hasta la casa de tus sueños, los ángeles están en medio de nosotros, ansiosos de servir. Prefieren que se les pida, pero se ha sabido que le dan a la gente lo que quiere y que sacan a la gente de dificultades sin que se hubiera expresado una palabra. Todos ellos te conocen y conocen los deseos de tu corazón.

Hay ángeles para cada área de tu vida, desde tu carrera, hasta la salud, el amor y los deportes. También hay un equipo de ángeles, con frecuencia llamados *ángeles de la guarda* que se te asignan al nacer y que están esperando que les pidas su ayuda. Sí, ¡están esperando para servirte! Han estado contigo toda tu vida, en las buenas y en las malas. Te guían, te protegen y te ayudan a obtener los deseos de tu corazón. Uno de ellos incluso podría haberte dado este libro.

El proceso de conectarte con tus ángeles es simple. Comienza clarificando tu mente. Es difícil pedir una relación cuando estás pensando acerca de la presentación que tienes que hacer en el trabajo al día siguiente. Toma algunas respiraciones profundas si fuera necesario para tranquilizar tu mente. Entonces convoca a tu ángel en el área que quieres que venga a ayudarte, diciendo: *"Convoco a mi ángel de ____"*. Llena el espacio en blanco con Carrera, Relaciones, Amor, Esperanza, Salud, Finanzas, Familia, Deseos, Hogar, Belleza, Guía, etc. Agradéceles por venir y oír tu solicitud. Entonces concéntrate en el deseo, la guía, la meta, la relación o la situación que deseas que se manifieste o se resuelva. Si se trata de una relación, clarifica qué es lo que quieres en tu alma gemela. Habla acerca de las características que esta persona tiene, las cosas que ustedes tienen en común y las cosas que harán y alcanzarán juntos. Si se trata de una relación actual que necesite sanarse, ¡desborda tu corazón! Si estás pidiendo seguridad financiera, habla de la abundancia que deseas y de las muchas deudas que pagarás. Habla acerca de por qué mereces estar libre de deudas y las cosas que harás con la nueva libertad financiera que has encontrado. Si es guía lo que necesitas, o respuestas a una pregunta o dilema en particular, dilo en voz alta, grítalo, cántalo. Tus ángeles están ahí para ti. También puedes llamarlos para sanar dolencias, problemas familiares, trabajos o adicciones. Sea lo que sea que necesites, un ángel tiene la respuesta.

Pide estar preparado para el resultado deseado. De esta manera, no te tomará por sorpresa. No hay nada peor que pedir conocer a tu alma gemela y que aparezca en un día en que todo te sale mal. Incluso tal vez necesites hacer algo extra, antes de que puedas manifestar tu deseo. Tomar una clase, hacer una llamada telefónica, o mudarte a un nuevo lugar. Estar preparado también implica abrirte para escuchar. La respuesta puede venir de esa voz dentro de ti que todavía es pequeña, de un comercial en la televisión o de un niño. Lo sabrás cuando la oigas: síguela.

Finalmente, agradece a tus ángeles por el Resultado Divino de tu deseo. Luego libéralos para que hagan el trabajo que les has dado.

En este momento, puedes oír una respuesta, una voz de la verdad, respondiendo tu solicitud, o tal vez no oigas nada. Algunas personas ven un signo como una rosa, o que el sol repentinamente resplandece. Otros pueden oír una campana, u oler una fragancia. Nada de esto es indispensable para que sepas que tu solicitud ha sido escuchada. Créeme, ya sea que veas, oigas o sientas los ángeles, ellos están presentes y tu deseo se manifestará.

Pasos

1. Clarifica tu mente.
2. Convoca a un ángel en el área en la que necesites ayuda, diciendo: *"Convoco a mi ángel de ____"*.
3. Agradéceles por venir.
4. Expresa tu deseo.
5. Pide estar preparado para tu resultado.
6. Escucha el discernimiento proveniente de tus ángeles.
7. Agradéceles y libéralos.

PARTE OCHO

MANTÉN TU TEMPLO

PARA MANTENERTE EMPODERADO

Poner en práctica lo que dices.

¡Felicitaciones! Te has tomado el tiempo para adquirir tu propia verdad. Has liberado daños, has limpiado y sanado al propio templo de tu cuerpo. Ahora sabes que puedes manifestar cualquier cosa que desees en tu vida. ¡Estás empoderado!

Tomarte el tiempo para tener acceso a tu alma, tu ser más interno, no significa que estarás libre de problemas, porque no es así. Sin embargo, ahora estás en control de "TI". Si decides poner en práctica lo que dices acerca del empoderamiento, puedes tener una vida de crecimiento, sanación, amor, alegría, prosperidad y equilibrio. Esto es lo que mereces y no debes conformarte con nada menos que eso.

Sin embargo, estar empoderado tiene sus pros y sus contras. Ahora decides si quieres regalar tu poder. Decide si una persona puede hacerte enojar. Si decides dejar que te afecten, estás en control de cuánto tiempo estarás enojado y el grado al que llegará tu enojo. Habrá ocasiones en las que te preguntarás: "¿Por qué me estoy permitiendo pasar por esto?". "¿Qué es lo que mi cuerpo está tratando de decirme con dolor?". "¿Por qué no dejo ir o libero a una persona, lugar o situación en particular?".

Todo dilema o situación que hace que dejes de concentrarte en la alegría o el amor en tu vida, sólo te está preparando para un mayor regalo si estás dispuesto a superar esa situación y permites que el espíritu dentro de ti te empodere para un mayor bien tuyo.

Planea volver a realizar muchos de los ejercicios en este libro. A medida que continúes creciendo en tu camino, tal vez veas el aspecto de un patrón que regresa y que habías pensado que lo habías liberado. Muchas veces sólo has liberado una capa del patrón. Otras veces, tal vez encuentres que no lo has hecho bien en absoluto, sino que simplemente hiciste los movimientos en forma mecánica. Es importante estar abierto a volver a hacer el ejercicio hasta que sientas que algo dentro de ti hace clic. Con mucha frecuencia, eso sucede la primera vez que haces un ejercicio. Pero a veces no lo realizas al cien por ciento. No estás seguro de querer sanar, liberar o manifestar y esto se muestra en el resultado.

Mantén tus intenciones puras y concentradas. Si no estás preparado para liberarte de algo o de alguien, pregúntate por qué. Respeta la respuesta que tu alma te dé.

Es bueno hacer una limpieza una vez al mes. Yo tomo un baño de tina una vez al mes, ya sea durante la luna llena o durante la luna nueva. Escojo ese momento porque la energía de la Tierra está al máximo. Un baño de tina mantendrá tu aura fresca, liberará las toxinas y te ayudará a clarificar tu mente, de manera que puedas oír a tu yo interno.

Sobre todo, sé bueno contigo mismo. Hónrate por querer cambiar y crecer, por querer que tu vida sea mejor, que tenga más propósitos, que sea más divertida, es decir por estar escuchando a la voz dentro de ti. Por eso, te aplaudo y te envío una abundancia de bendiciones. Te aliento a que continúes por tu camino, cualquiera que éste sea. Debes saber que vas en la dirección correcta, a la velocidad correcta y que continuarás recibiendo guía. La misma que te movió para que abrieras este libro es la misma que te dirigirá a tu siguiente libro, clase, iglesia o maestro. Todos éstos son pasos a tu desenvolvimiento Divino para volverte y mantenerte apoyado en tu verdad.

Recuerda, tienes el poder dentro de ti para alcanzar todas las cosas. Cosas grandiosas, grandes y pequeñas. Cuando estás empoderado te abres al poder dentro de ti. Permite que este poder trabajé a través de ti y contigo para producir una sanación total para tu alma y para nuestro planeta.

ESTÁS EMPODERADO ¡SUPÉRALO Y SÉ ESO!

PAZ PLANETARIA

En el momento de escribir este libro, nuestro planeta está necesitando todas las oraciones para la paz. Es a través de la paz que podremos alimentar a los hambrientos de nuestro planeta, curarnos los unos a los otros y amarnos todos incondicionalmente. Mahatma Gandhi dijo una vez que debemos ser la paz que buscamos en el mundo. Por lo tanto, debemos buscar hacer la paz en nuestra forma de vida.

Los invito a cada uno de ustedes en este momento, a que hagan una respiración consciente por la paz. Sepan que su respiración está llena con la luz y el amor de Dios. Sepan que su respiración fluye a la atmósfera y toca con la paz a todos aquellos con los que entra en contacto.

Visualiza el mundo frente a ti. Inhala el pensamiento de la paz mundial. Mientras exhalas, permite que tu pensamiento de paz penetre tu visión del mundo. Haz esto nueve veces.

Ve en paz y difunde la conciencia por la paz.

Piensa que la respiración por la paz es poderosa.

Piensa que tus pensamientos por la paz son profundos.

Piensa que tus acciones por la paz pueden llevar la paz que buscamos para nuestro planeta.

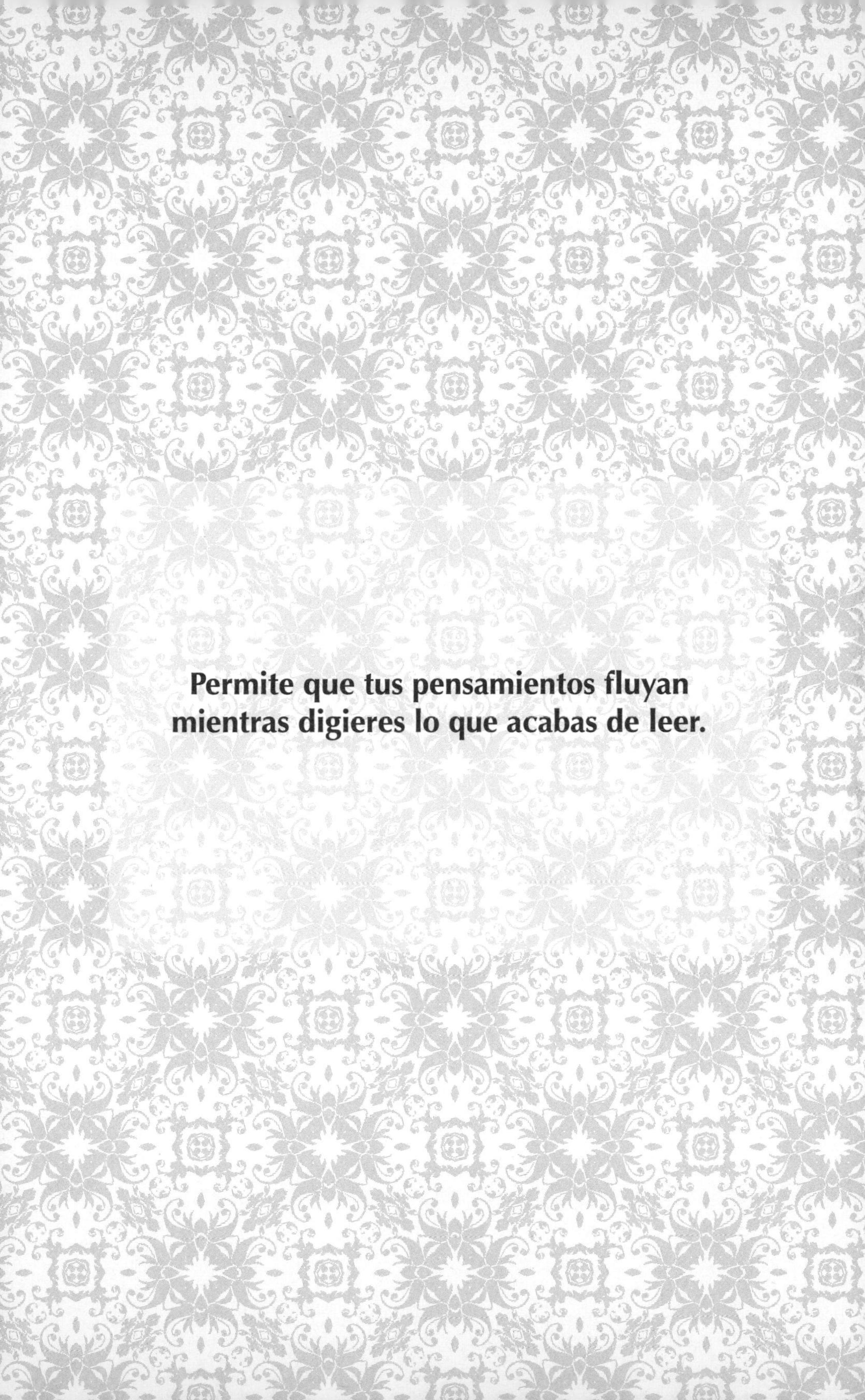

Permite que tus pensamientos fluyan mientras digieres lo que acabas de leer.

APÉNDICE

Parte uno

Diccionario Merriam Webster, Merriam-Webster Inc. Springfield, MA, 1994. Palabras: empower, self, [empoderar, uno mismo].

Parte dos

La Santa Biblia, versión del rey James: Éxodo, capítulos 19:14-25

Kay Mieno Kato, *Buddhism for Everyday Living* (Budismo para la vida cotidiana), publicado por el autor.

Ishmael Tetteh, *The Fountain of Life* (La fuente de la vida), Venus Printing Press, Ltd. Ghana África

Tres iniciados, *The Kybalion Hermetic Philosophy of Ancient Egypt and Greece* (La filosofía hermética del Kybalion del Antiguo Egipto y Grecia) Yogi Pubishing Society, Chicago, Il.

Ernest Holmes, *Living the Science of Mind* (Viviendo la ciencia de la mente), DeVorss &Pubishing Co. Publishing Marina Del Rey, California.

Parte seis

Louis Hay, *Sana tu cuerpo,* Hay House, Inc. Carlsbad, California.

GLOSARIO

- **carbón activado:**

  carbón que ha sido calentado para aumentar su capacidad de absorción.

- **casa abierta:**

  evento en el que todos los visitantes son bienvenidos.

- **derecho de nacimiento:**

  derecho o privilegio que tiene una persona desde el momento de nacer.

- **jonrón:**

  en béisbol, jugada en la que el bateador golpea la pelota con tal fuerza, que la saca del terreno de juego lo que le permite recorrer las cuatro bases y lograr una carrera.

- **Námaste:**

  se refiere a un saludo que se originó en la India. Se usa en numerosas culturas de Asia, para saludar, despedirse, pedir, dar gracias, mostrar respeto o veneración y para rezar. Normalmente se realiza con una inclinación ligera de la cabeza y con las palmas de las manos unidas entre sí, ante el pecho, en posición de oración.

✳ **proactivo:**

que crea o controla una situación, en lugar de sólo responder a ella.

✳ **ricino:**

planta con hojas palmeadas, originaria de climas cálidos y templados. De sus semillas se extrae un aceite purgante.

CONTENIDO

TÍTULOS DE ESTA COLECCIÓN

Aunque usted no lo crea de Ripley. Edición de aniversario
Balada. *Maggie Stiefvater*
Chamanismo. Puerta entre dos mundos. *P. J. Ruiz*
Crímenes sexuales. *William Naphy*
¿Dónde están enterrados? *Tod Benoit*
El código de Dios. *Gregg Braden*
El código Jesús. *John Randolph Price*
El libro de Enoc. El profeta.
El libro de sanación chamánica. *Kristin Madden*
El libro sin nombre. *Anónimo*
El quinto evangelio. *Fida Hassnain y Dahan Levi*
El verdadero secreto. *Guy Finley*
En el jardín del deseo. *Lean Whiteson*
Evangelios apócrifos
Fundadores. Sociedades secretas. *Dr. R. Hieronimus*
Glamazona. *Athena Starwoman y Deborah Gray*
Grandes matrimonios en la literatura. *Jeffrey Meyers*
Hitler y sus verdugos. *Michael Thad Allen*
Hónrate a ti mismo. *Patricia Spadaro*
La conspiración del grial. *L. Sholes y J. Moore*
La cosmología oculta de la Biblia. *G. Strachan*
La Inquisición. La verdad detrás del mito. *John Edwards*
La niebla. *Bruce Gernon & Rob MacGregor*
La SS. Su historia 1919-1945. *R.L. Koehl*
La verdadera pasión de María Magdalena. *E. Cunningham*
Lamento. *Maggie Stiefvater*
Los derechos de México sobre el territorio de los E. U.
Los documentos de Takenouchi I. *Wado Kosaka*
Los piratas de las islas británicas. *Joel Baer*
Los templarios. *Juan Pablo Morales Anguiano*
Masonería. Rituales, símbolos e historia de la sociedad secreta
Mensajes de la Madre María al mundo. *Annie Kirkwood*
Misterios y secretos de los masones. *Fanthorpe*
Misterios y secretos de los templarios. *Fanthorpe*
¿Quién lo descubrió? ¿Qué y cuándo? *Ellyard*
Revelación del código masónico. *Ian Gittins*
Rexagenäs. *S.G. Haro*
Rey de oros. *Raciel Trejo*
Satán en la iglesia. *Cam Lavac*
Secretos de la Lanza Sagrada. *J. E. Smith y G. Piccard*
Símbolos secretos y arte sacro. Tradiciones y misterio.
Sobrevivir para contarlo. *Immaculée Ilibagiza*
Una historia ilustrada de los caballeros templarios.

Impreso en los talleres de
MUJICA IMPRESOR, S.A. de C.V.
Calle camelia No. 4, Col. El Manto,
Deleg. Iztapalapa, México, D.F.
Tel: 5686-3101.